파도는 죽으러 바다에 간다

썩지 않는 살점은 없다 물비린내가 진동하는 바다 위에서도 짐승은 어금니
사이로 육고기를 씹는다 핏물이 다 빠진 허여멀건 한 것은 뱀의 혀 같기도
파도 같기도 한 고깃덩어리 육신이 잠들지 못하는 밤 나는 기어이

너의발목을썰어곁에두고살점을도려냈다가또새살이돋은자리를까끌한혀로핧으
며

1

1 육욕肉慾의 육욕僇辱

죽지 않고도 사경死境을 헤맬 수 있나 그때 그 아가리를 찢어놨어야 했는데 그래 지옥으로 가자 머리채를 잡고 질질 끌 때 다시는산채로뜯어먹히지 않겠다 던 얼굴 이 쓰 레기더 미위에 서 표 정도없 이 허공에서 데구 르 를륵륵 르 또 비명을지르 는것이…… 있었는데 여기어디엔가있었는데

같이 지옥에나 떨어집시다.

너처럼 짐승만도 못한 새끼는 지옥에 떨어질 거다.

그래 뭐 그렇게 하자 언제는 그러지 않기로 했던 것도 아닌데 새삼… 근데 손목이 잘려도 기도를 할 수가 있나 나는 잘 모르겠네 웃음이 나오지 그럼 웃음이 안 나올 수가 있나 저기 저 통나무들 보이지 저게 다 내 애인이야 애인 위에 애인 위에 애인 위에 애인 엎어진 것들이 몽땅 다 사랑스럽지 죽은 건 쟤들이고 썩은 건 나고 피 냄새는 글쎄 이게 니 건지 쟤들 건지 모르겠네 중요한 건 그게 아니고요 선생님 이게 쑤신다고 바로 죽어지는 게 아니에요 예? 근데 그렇게 계속 악담을 하시면……

이리 오세요 오시라고 여기에 바람 빠지는 구멍을 하나 만들어 드릴게 사람 가죽이 그렇게 질기지가 않거든 썩기도 또 금방 썩어 살아남아도 괴사한 것들이 잔뜩이야 여길 이렇게 아가리처럼 벌리면 이건 모독인가? 그래? 그러면 뭐 어떻게 아주 죽여 드릴게 몇 번이고 깊게 살점이 조각조각조각 조각조각 황홀하신가 비명이신가 이렇게 몸을 부르르 다 떠시고 그렇게 좋으세요? 사지가 찢어질 정도로 그렇게 좋으세요? 그럼 이건 뿌리까지 뽑아 드릴게 지금부터는 썩기만 하면 되겠네 시체처럼……

시체처럼?

5

그래 시체처럼 그래 저것들처럼 눈 잠깐 감았다 뜨면 순간이 시간이고 시간이 순간이야 내가 어디에서 어디를 거쳐 어디로 갔게 숨이 쩍쩍 갈라진다 내가 여는 건 입인데 자꾸 동공이 풀어져 폐기한 것들을 받아 처먹은 죗값이라고 그러니까 니가 믿는 거시기 신인지 뭐시기 신인지 거기 빌기도 전에 내 자리가 지옥에 있었어 나는 느그네들이 내 지옥을 바랄 때 턱이 벌어져 왜 왜 왜??? 내 자리가 지옥에서 넓어질 게 뻔하거든 그러니까…… 아직도 무엇인가 더 모자라고 열망하는 추잡하고 기름진 무엇이

뒤집어쓸역사가없는인간은멸종하는거야 내 의 도 가 정 말 돈 에 만 있 었을 거 같 다 고 착 각 하 시…… 팔새끼들이입구멍을뚫어주니까지들좆대로목소리를내고말이야이러니까내가또눈이뒤집히는거야사람을죽여본적있어?시체를본적은?파들파들매달리던그년의손목안쪽을썰어본적이있냐고묻잖아내가

누구는 나더러 이유를 찾대 서사를 찾는 놈도 있어 믿을수가없다는거지 뭐가 나를 망쳤을까 사랑 돈 이름 약 권력 사람 명예 약 사랑 사람 돈 약 약 야ㄱ ㅇ야ㄱ 일까? 그게 진짜일까? 내 인생은 험담과 악담과 음담이 아닌 적이 없었습니다 선생님 그러니까 아가리를더벌리세요 제가지금사는얘기죽는얘기를하자는게아니지않습니까…아가리를벌려경청하시고귀로호흡하세요…호흡이어려우시면귀아래아가미를세로로찢어드리겠습니다……제가 왜 이런 놈이긴요 왜긴 왜겠습니까 일어날 일은 언제나 일어나기 때문이지 악의 은혜를 나는 잊은 적이 없거든

그년은손목으로눈물을뚝뚝흘리는데나는시간을재고시간이부족해서시간을하는
사람이되고 무슨 말인지 아시겠어요? 그년의썰린손목에얼굴을처박았다고
이쯤되니까헷갈리기 시작해 걔는 그년은 그여자는 자살이었을까타살이었을
까 …… 내가보기엔자살같거든

자살한 사람들은 지옥에 간다고요 암요 압니다 그러니까 나는 지옥에 땅을
잔뜩 사고 지옥으로 떨어질 겁니다 어디쯤 그 발칙한 게 영악한 게 묻혀있
을 거 같거든

근데 왜 아까부터 대답이 없어요 죽었나? 죽였나?
선생님 제 눈을 보셔야죠 제 눈깔이 아직도 돌아있는지 보셔야죠
야이……씨 약빨이떨어졌나보다
이게
사람처
럼보이는
게
영
시원
치가않 어

가서삽좀가지고와야겠다땔감도아니고……

7

니가 듣고 싶어 할 얘기를 한번 해 볼까. 보통의 인간들처럼.

뻔한 얘기야. 사람 타령, 사랑 타령. 지루한 얘기지. 근데 그런 거 좋아하
잖아. 사람들은 왜 그렇게 결과가 뻔한 도박에 목숨을 거는지 몰라. 인간성
이 그렇게 쉽게 바뀌나. 결여된 건 그냥 결여된 상태로 두는 거야. 오장육
부까지 꺼내서 채우면? 글쎄…… 피순대밖에 더 되겠냐.

이게 내 인생이야. 절대 봉합될 수 없는. 사람은 다 고기야. 고기가 고기를
낳고, 그 고기는 또 고기를 낳는. 사랑? 고깃덩어리끼리 섞여서 얻다 쓰게.
육절기 안에서 빙글빙글 돌면서 다져지는 인생이 니가 원하는 거야? 그으
래…… 너도 어지간히 시궁창이다.

씹새끼 인생에 중요한 건 결국 돈이야, 돈. 야. 그게 무슨 소리야. 돈은 그
냥 그 자체로 목적이고 수단인 거야. 내가 왜 돈을 버는지, 모으는지. 알면
뭐가 달라지냐? 뭐가 달라지는데. 얘기해 봐. 협박하는 게 아니라 궁금해
서.

덜컥
덜컥
덜컥
……

9

어, 아니야. 듣고 있어. 어엉, 다 들었지. 야, 근데…… 그런 타당한 이유까지 대면서 사랑인지 뭔지 해야 되냐? 그렇잖아. 내가 해 달라고 한 것도 아닌데. 너 혼자 피곤하게 머리 굴리고 합당한 사정들 계산하면서 그러고 있는 게 좀 웃겨서. 그렇게 할 거면 그냥 하지 마. 맹목적이지도 않은데 왜 맹목적인 척을 하려고 그러냐. 너나 나나 서로 피곤하고 찜찜하지.

어?
눈이 왜.
목소리가 왜.

덜컥
덜컥
덜컥
덜컥
덜컥
덜컥
덜컥
덜컥
덜컥
……
그게 아니라

너내주사기어디에숨겼어이씨발년이진짜

연민을 하려면 연민만 하고 동정을 하려면 동정만 해야지 어설프 게사랑같은걸씩 우려고드니 까 내가 어이가없어서 그 래 나랑은좀다 르겠지 안그러겠지 상 처 입은사람을사랑 으로끌어 안으면 달라 질거라 고생 각하는거야 하하하하하하하학씨발너는 내가 낭만을 살 거 같냐

살인자새끼한테갖은이유를가져다대면서사랑을왜해아니그래그렇지사랑하는거야니맘인데쉽게해쉽게쉽게쓰고쉽게지우면너도좋고나도좋고그거야난너랑하는섹스는나쁘지않거든근데오입질에사랑이필요한사내새끼가세상에얼마나될거같아???왜울고그래또차라리화대를줄까그럼덜비참해지냐 덜컥덜컥덜컥덜컥덜컥덜컥덜컥덜컥덜컥덜컥덜컥덜컥덜컥덜컥……

찢어질 수 있다는 건 언제든 죽을 수 있다는 소리야 니가 갖다 대는 이유들이 니가 믿는 내 서사들이 진짜가 아니게 되면 너는 무슨 이유를 또 만들어서 붙일래 내 입에서 나오는 말들이 어디까지 진실인지도 모르면서

너는니가만 든나를사랑하고싶은 거지그타 령이하고싶은거 야니가매달 리고싶은건내가아니 라니 안 에 서누구 보다가 여워지 는나를사랑 하는너야 맞지   내가손벌벌떨면서핏줄터진눈으로니목을조를때니가느끼는희열도마찬가지인거야 근데도년내앞에서자꾸다리를벌리고

11

난 좋아 죽겠다는 말에 니 내장까지 쑤실 놈이야 수가 틀리면 니 다리 사이를 잡아 찢고 니 사랑이며 목숨보다 조롱하고 싶은 건 없는 새끼야

이래도 내가 하는 보통의 얘기가 듣고 싶어?

그래 그럼 해 줄게 나도 사랑하는 걸로 해 이 미친년아

피에 젖은 내가 있다 내가 있고 내가 있어 내가 있기에 내가 있으므로 아직도 지겨운 명줄이 끊기지 않은 바람에 가차 없이 쏟아지는 니가 있다 하루 치의 악독을 쥐어짠다 죽은 사람의 가죽을 쓰고도 니 눈만큼은 지겹도록 형형해서

내가 맨정신으로 버티지 못하는 건 나를 지독하게 쫓는 그 눈이 문제라는 건 밤이 자꾸 몸집을 부풀리는 건…… 손에 힘을 더 줘 그렇게 어설프게 해봤자 안 죽어 공격받은 개새끼는 더 난폭해질 뿐이야 제대로 찔러 그래야 나도 니 손에 죽어 보지 너 아니면 내가 누구 손에 죽고 싶겠냐

야거은갈독음건는키삼을름이니까러그
럼처체합집의잡난과탕음는없도수을담에입마차
도에간순는하통관를니구타사터부서에젖목
도에간순는르모가내지건는있고르지저을짓슨무가내

내종말이니혀끝에달린걸너는알고있었지이씨발년……

죽은 사람 죽어 가는 사람 죽는 사람 너도 죽어 가는 사람이고 나도 죽어 가는 사람이고 매일 하루만큼 명줄은 짧아지는데 뭐가 그렇게 아쉬워서 아득바득 날 사랑하시겠다고 내 죄는 매일 더 검붉어지는 것 수렁으로 빠지는 것 너를 웃게 하지는 않더라도 울게 해 달라고 했던가 마른 땅에 물을 뿌리는 일을 하게 해 달라고 근데 몸통이 분리된 목으로 우는 법은 너도 모르고 나도 모르는 일이지 안 그래?

내가 맨정신으로 니 이름을 몇 번이나 부를 거 같냐 또렷한 눈으로 널 보는 날은 며칠이나 될 거 같고 태생이니 성정이니 고루한 소리는 껌처럼 씹어 뱉고 대답해 봐 내가 벌게진 눈으로 살점 뜯기도록 나를 긁어댈 때 넌 방바닥에 엎드려서 울고 있었어 아니야? 아니야? 아니야? 아니야?

아니라고?

나는 그때 니 머리통을 깨고 싶었다 반으로 가르는 것도 모자라서 산산이 잘게 으깨고 싶었다 니 눈빛 아래에 숨긴 게 애정이라 착각하는 니 오만에 구역질이 나서 너를 갈기갈기 찢고 그 위에 온갖 모욕을 뱉고 싶었어 니가 너로 보일 때도 그랬다고 봐 지금도 떨고 있지 넌 그게 환희 같냐 수몰하는 거지 같은 인생 나는 피에 잠겨 죽을 자리를 찾는데 너는 무덤 위에 또 무덤을 짓겠다고…… 그래 개처럼 기어도 너는 나를 기어이 이빨로 물어서라도 질질 끌리시겠다고 그게 니 사랑이시라고……

15

섹스나 살인이나 살점 가르는 일은 거기서 거기라지만 너도 참 추잡하고
나도 참 난잡하다

……
비명
비명
비명
비명
비명
……
툭
투둑
까득
사랑도 비명횡사를 한다더라
입을 벌려 바짓단을 물기도 전에……

두익아, 삽 가져와라.

속은 뜨거워 뒈지겠는데 몸이 자꾸 차다, 이래서 내가…….

근데 선택권 백 번 주면 백 번 다 너는 내 뒤에 있을 거지 낭만 없는 짐승 새끼들도 가끔은 무리가 필요하니까 그렇지??? 여기가 생지옥이야 손금이 질긴 새끼들만 살아남는 생지옥이야 그러니까 손바닥을 칼로 긋자 명줄이 길게 이어지게

명줄이
길게
이어지게

두익아
나 그래도 니 이름은 똑바로 잘 부르거든 아직도

두익아, 저 새끼 얼굴 좀 들게 해 봐라. 사진을 찍는데 자꾸 그렇게 고개를 숙이면 벌써 죽인 거 같잖아…… 선생님, 여길 보셔야지. 이러니까 훨씬 낫네. 예? 아, 안 죽여요. 우리가 죽인다고 했나. 어, 그랬나. 그랬냐, 두익아.

오래 사셔야지. 안 그래요? 목청이 좋으시네. 아직도 그렇게 소리를 지를 힘이 남은 거 보면. 목젖을 쨀 수도 없고. 그쪽이 오래 살아야 우리가 돈 짜낼 구석이 더 많아져. 무슨 소리겠어. 당신, 납치된 거야. 죽을 때까지 우리 돈줄이고 밥줄이라고.

한국은 좀 안전할 줄 알았나 봐. 순진한 건지, 멍청한 건지. 매년 한국에서 실종되는 사람이 몇 명인지 알아? 작년만 해도 7만 명. 그럼 그중에 못 찾은 사람은 얼마나 될 거 같아? 보니까 집안 좋고, 학벌 좋고…… 머리를 좀 굴려 봐. 내가 이런 얘기를 왜 하겠어.

돈 받으면? 받으면……. 그게 무슨 소리실까. 당신 아버지가 뭐 하시는 분인지 내가 알아야 될 이유라도? 아, 그러셔. …… 그럼 돈 나올 구석이 더 많다는 소리네. 주소. 주소 부르라고. 거 아까부터 계속…….

징징징징징징징징징징징징징징징징징
스마일 여기 보세요 그 아가리를……

뭐야 죽은 거야?

예에 …… 아버님 강해상입니다 돈은 잘 받았죠 받았는데 자식새끼를 똘똘
하게 키우셨어야지 돈만 받으면 된다는데도 자꾸 입을 놀리니까 잠깐 입만
뜯어 놓는다는 게 예 죽었죠 죽었는데 …… 그 돈은 살려서 보낼 때 얘기
고요 죽은 놈 토막 치고 살점 바르는 일이 얼마나 힘든데 그걸 그냥 보냅
니까 인건비 배송비 다 생각하셔야지 일은 뭐 저 혼자 다 합니까 아니 아
버님 이렇게 나오시면 될 일도 안 되는 법이에요 제가 뭘 믿긴요 와중에
신이라도 찾으시나 본데……

자식새끼 장례는 치르셔야지 않겠냐고
시체라도 찾으셔야지 귀한 자식 천국 보내시려면

얼마나 놀라셨으면 눈도 못 감고 뒈지셨어 근데 아버님 집에 돈이 그렇게
많으시다고 그 돈이 그렇게 다 썩은 돈이시라고 제가 또 썩은 것들이랑 그
렇게 잘 맞아요 예 무슨 소리기는요 그 돈 제가 다 먹어야겠단 소리지 기
다리고 계세요 시체 찾게 해 드릴게 한데 섞여 묻히게 해 드릴게

두익아…… 장 씨네 새끼들한테 연락 좀 넣어라 짐승 새끼가 귀신같이 썩
은 돈 냄새 맡았다고 하면 올 놈들이야 그치 그렇지 그래야지 사람은 안
믿어도 돈은 믿을 새끼들이야 눈깔이 미치기는 했어도 걔들이 일은 참 잘
해 그러자 그러자 그러자 그렇게 해 버리자…… 근데 왜 아까부터 대답이
없지 ……

21

내가 놓친 게 있나 잃은 게 있나 두고 온 게 정말 돈이었나 그뿐이었나
…… 두익아 왜 이렇게 뒤가 허전하지 이 새끼들은 왜 전화를 안 받고 계
집질이라도 하고 있나 …… 지금 거신 번호가 어쨌다는 거지 …… 왜 더운
밤에도 몸이 춥지 ……

날이 또 밝아지니까…… 죽음 같은 날이 또 핏물을 뚝뚝 흘리면서 또 날이 또 씨발 제발 또 떨리는 손을 좀 제발…… 손목을 잘라 멀쩡한 정신에 기생하게 두면 어때 나 좀 이대로 찔려 버리게 내 몸은 온갖 살인의 현장이야…… 맞은편은내가겪지못한비극아닌희극이라는기이한착각같은자리를여러번찔러야돼깜박이는눈이마치비상구처럼보여도파낼수는없지내가맨정신으로죽게되거든그건아마객사일거야그러니까씨발좀제발좀

이게왜이렇게안꽂히지이제나좀찔러주라

내가 입안에 숨긴 것들이 과연 니 낭만 내 사랑 같은 걸까 내가 쥔 것들 중 가장 음습한 것들만이 내 혓바닥 밑에 있어 곧 괴사하기 직전인 살덩이를 어디에 쓸 건데 내게 묻힌 시신이 썩어 내 안에는 벌레들이 드글드글드글드글글……

서걱대는 불안도 메스꺼운 악몽도 불쑥 마주하는 모든 불행도 어금니가 갈리는 고통도 모두 나야 내게 붙은 이름이야 참혹하게 무자비하게 썩어가는 것들은 다 나를 본뜬 거야 허기가 지면 내 죄를 달게 먹는 것도 나야 전부 나야 뼈마디가 질컥질컥 또 벌레가 드글드글드글······

내 혓바닥 위에 니 환상을 얹어 녹이면…… 끝도 없는 도취 감정의 고조 허무와 희열이 똬리를 틀고 모가지를 비트는 손 숨 손 숨 손 손 손숨손 손 손…… 탐닉을 탐닉하자 그래 혀를 내밀어 봐 가운데에 내 지문을 새겨 줄 게 닫으면 닫히고 열면 열리는 거야

입맞춤이 맹세라면 나는 네게 영원한 기만과 거짓을 선사할게 너는 모든 생을 가로지르는 증오를 내게 바쳐 내가 문득 칼날을 세워 손에 쥘 때 기 꺼이 칼자루를 쥘 수 있는 악행에 자비 같은 되지도 않는 이름을 짓는 거 야

천천히 죽어가는 죽기 위해 살고 있는 살아지기 때문에 사는 것이 아닌 죽 음만이 나를 기다리고 있는 것이기에 그러니까 사실은 영원한 기만과 거짓 이라는 것도 허울에 불과하고 내 혀는 검어지고 눈은 빨개지는……

그래, 스피드볼, 나는 정신부터 죽어갈 거다 내 몸이 가장 오래 썩도록……

26

입을 열지 않고도 허공에 대고 짖는 법을 알지. 뇌가 녹고 있어. 떨, 헤로인, LSD, 스피드볼까지… 이젠 뭐가 현실이고 뭐가 허구인지 잘 모르겠어. 끔찍한 것들을 피해 더 끔찍한 곳으로 도망치고 있는데…… 나는 미친 새끼잖어 니가 나를 기다리지 않을 걸 아는데 난 자꾸 니 목소리가……

아침마다 질식에 몰려 깨는 꿈을 꾼다, 고 생각하면 늘 꿈이 아닌 나를 두고 너는 잠이 아닌 잠을 자고 손이 닿는 족족 죽여 버리는 것들을 트렁크에 담지 그래…… 난 씨발, 왜 아직도 다 허상 같지…… 차라리 내 죽음을 바란다고 했어야지 원망도 했어야지 내가 보는 건 다 가짜라고 무시해 버리게…… 매번 내 생사를 확인하는 니가 언제까지고 진짜일 거라 믿으며 불안에 갇히고 싶게 만들지를 말았어야지……

가졌던 것들 중 가장 인간적이고 도덕적이며 윤리적인 것들은
처음 도망친 곳에 버리고 왔다.
그러니 낙원과 천국은 어디에도 없을 것.
도망의 말로는 언제나 비극으로 끝날 것.
뻔한 종말을 앞에 두고 행복을 반문하는 너를 영영 사랑하지 않을 것.

내 여원잠을 절대로, 절대로 들키지 않아야만 하는 건
네 불행한 꿈에 불쑥 너를 들이고 싶어지는 비열한 상상 때문임을,
그마저도 너는 몰라야지.

씨발…… 씨, 씨발, 좆같은… 숨이 자꾸 막히는데…… …… 산 시체, 시체들이 와글와글, 헉… 허억…… 이게 내, 내 숨소리인지 저 죽은 새끼들의 원망인지 모르겠,모르겠다씨발잠깐전등이지직거리는소리좀,좀이제,내가왜,이렇게…… ㅈ,죽은개새끼들이…덤비는……허억,헉,혀를길게빼고…내가,내가…… 죽을거,가,같지…왜내가죽을거같,씨발,이게뭔데¿여,여,여기역한것들이뭔데……가서마체테를,그래마체테를……두익아,여기서부터여기를,자,잘게…잘라야한다고¿ 보,보이지……손이덜덜떨리,는소리,가,들리지……죽여야지죽여야지나를살,해,살해,해,해서……

따각따각따각딱따각딱딱따각따각까드득득드득득따각딱드득드드득따각따각따각따각딱,딱…드드,득,드득,딱.

분명엊저녁에저새끼의눈깔에비친생을내가팔아먹고빌어먹고빨아먹고그러고도남은것을가져다버렸,버,버,버렸는데……쩔걱대고쩔걱대,는,내살을파먹는거야씨,씹새끼들이…… 그러니까살해하고살해하고살해서나를죽여서,ㅈ,주,죽여서,이끔찍한것들을내장부터쏟아내게…… 내가지금바닥을기고있나¿??¿??¿ 손끝부터시작된한기가몸을타고도는거야내가지금내가내가지금내가내가내가지금,ㄴ,ㅐ가ㅈㅣㄱㅡㅁ,단어가쪼개지는건지내혓바닥이갈라지는건지사실목소리가나오고있는것은맞는지숨이쉬어지고있는건지

헉,허억,헉……

내가잠겨죽지않는건내이름이海上이어서가아니라害想이기때문이고……
거꾸로뒤집으면傷害기때문이라고,이,이씹,씹새끼들이……
나를뒤집어서탈탈털고있다,그러니까손목을,소,소손목을잘라야돼……
차라리나를사산하도록뒀어야,
어,
그래,
두익아,
두익아……
니,니……니가잘라줘야한다,
나를……대물리는……숨이,
씨발,
막히니까,
허억,헉……마체테를,
살의를,
악의를……

　　　　　덜덜덜덜덜덜덜덜덜덜덜덜덜덜덜덜덜덜……　……뚝.

내몸에서나가자오장육부를쏟아내는근질근질한년놈들이내몸에서나가자나가자
혀를반으로가르고도방백과독백을일삼으며내머리를파먹는이씹씹씹새끼들이나
　　를죽이겠다고덤비는,니가내종말이지맞지¿¿???¿¿¿¿¿????¿¿?¿

생에 가장 착실한 방법으로, 가장 공을 들여 나를 죽이고 있다. 오래도록 이어진 살인의 역사는 내게서 끝날 것이므로.

발바닥이 장판에 스치는 소리에 눈을 뜬다. 천장이 어제보다 한층 낮아진 것이 분명하다. 익숙한 질식감. 버석한 얼굴을 쓸며 몸을 일으킨다. 침대 밖으로 몸을 내밀고 바닥에 발을 디딘다. 지독한 더위와 그걸 부추기는 습기…. 오늘도 살아 버렸다. 이 지난한 생을 하루 더. 몸집만 부풀린 짐승 새끼. 박박 씻어도 더는 지워지지 않을 비린내는 여름이면 유독 역한 것이라 자주 몸을 웅크렸다. 나는, 씨발, 나는….

수저가 그릇에 부딪히던 소리가 멈춘다. 덜덜 떨리는 손을 쥐었다 핀다. 지난 새벽, 고통과 등을 맞댄 쾌락의 흔적이 팔 안쪽에 선명하다. 목을 조를 수도 있을 거 같은데. 구멍 두어 개는 낼 수도 있을 거 같은데. 밥그릇을 옆으로 치우고 식탁에 이마를 대고 엎드리면 또 달그락, 달그락. 안 먹냐. 머리 위로 목소리가 툭 떨어진다. 밥은 됐고 주사나 좀. 말이 되지 못한 문장은 뱃속으로 씹어 삼킨다. 지독한 열망이다. 씹새끼. 죄는 미워하되 사람은 미워하지 말라. 죄는 미워하되…. 죄만 세상에 남기는 일. 실컷 미워하고 저주하고 악담을 퍼붓게. 느리게 눈을 깜빡인다. 깜빡, 깜빡, 깜빡……. 전구를 갈 때가 됐다. 혼잣말 같은 중얼거림에도 늘 붙는 대답이 있다. 그래, 그러자. 씹새끼. 어금니를 깨문다. 반쯤 속을 채우면 또 그만큼 속을 게워야만 한다.

싸구려 침대가 삐걱댄다. 벽을 향해 몸을 돌리고 눈을 감는다. 호흡이 일정해지면 뒤에서부터 그림자가 진다. 이 뻔한 짓거리를 뻔하게 반복하며, 하루에도 며칠씩 명을 재촉한다. 죽여. 죽여 봐. 죽일 거냐. 죽여 줘. 이유를 붙이지 않을 죽음이 수백 번. 이유를 붙여서는 안 될 죽음이 또 수백 번. 착실하게, 착실하게. 머리맡을 더듬는다. 사유를 덧대지 않기 위해. 지겹다, 이젠. 뭘 쫓고 있었는지, 뭘 쫓아야 하는 건지 모르겠어. 어떤 자극도 감흥도 감각도 없어. 이렇게 사는 것도 사는 거냐. 빈 주사기를 바닥에 던진다. 툭, 툭. 발로 대충 치우는 소리. 그래, 또 발바닥이 장판에 쓸리는 소리. 욱신대는 팔. 지끈대는 머리. 사부작, 사부작, 사부작. 이제 더 잃을 게 목숨 말고는 없는 거야. 죽어가는 거야. 이번에도 내가 먼저. 이번에도 등을 돌릴 거야.

씹새끼.
그래, 그러자.
그거 말고.
…….
왜 아직도 안 죽이고.
…….
죽여.
…….
그래, 그러자. 왜 안 하냐.

33

……..

씹새끼.

… 그래.

끝이 나지 않는 혐오와 혐오와 혐오가 섞인다. 사랑, 구원, 용서. 그건 다 단어 쪼가리야. tkfkd, rndnjs, dydtj 같은 거. 그게 뭐 대수라고. 저 새끼들을 봐. 저 새끼들은 저기에 목을 매잖아. 나는 천장에 목을 맬 거야. 새 전구가 나갈 때. 아마도 그쯤. 그 아래에.

손등이 간지럽다.
또 벌레가 파먹는 모양이지.
불을 질러 태우는 거야.
아서라.
칼로 벅벅 긁을까.
그만 좀.

오늘이 아니면 내일.
내일이 아니면 모레.
아니더라도 몇 번의 불면과 불안을 지나서.
분명 제대로 눈을 감지도 못하고, 개처럼 혀를 내밀고, 여름에도 동사한 시체처럼 얼어 죽는….

그러니 가장 착실한 방법으로 공을 들여,
생을 망치며 살아가는 것으로,
나를 죽이고 있으니.

무리를 버린 짐승 새끼들의 살인의 역사는 나 하나로 끝나야지 않겠냐.
미친 새끼, 눈에 힘 좀 풀어. 아니면 니가 먼저 도망을 가든가….

죄만 남기고 떠나자.
사실은 어떻게든 살려고 그랬다는 얘기를,
썩어가는 시체에 대고 고해는 하지 말자.

우린 여전히 생고기를 뜯는 짐승이니까, 그렇지?
                                    …….

나는 모든 갈림길에서 불행을 선택한 대가로 불안을 여생의 동반자로 삼아 모든 참상을 대면하고 참변을 맞이하겠지. 모든 순간들이 나를 배반할 테니까.

쏟아지는 모든 악담과 악의는 업보조차 되지 못해. 누군가 내 행복을 바란다면 그게 저주인 거야. 가진 것 중 무엇 하나 처음부터 내 것이었던 적이 없고, 온전히 쓸 수 있는 것이 없었는데 뭘 팔아서 행복을 얻겠느냐고. 썩어빠진 영혼? 내 죄? 누가 값을 치르는데. 어떤 획도 온전하게 그어지지 못한, 점선 같은, 나는 이제 맨정신으로도 여름에는 추위를 겨울에는 더위를, 쥐고 있는 것들을 놓지 못해 발발 떨리는 손으로, 어떤 애정도 갈구하지 않으나 채워줄 수도 없는, …… 참회를 하기에는 이미 늦은 거야. 버리지도 못하는 것들을 쥐고 사는 삶이라는 건.

하루를 팔아 하루를 살고 하루를 팔아 하루를 살면 결국 뭐가 남을까 더해지는 것도 나뉘는 것도 없이 마른 얼굴과 푸석한 웃음소리가 적막을 깨는 것도 한두 번이지 짝퉁조차 되지 않는 조잡한 일상이 이어지니까 내가 느끼는 감각은 혈관에서 오는 겨우 몇 시간의 안락이 전부야 돈이든 약이든 당장 눈에 보이는 것들 중에 내가 긁어모을 수 있는 건 그게 전부라서 우습지 그렇게 악을 쓰고 기를 쓰고 긁어모아도 나를 망치는 길을 좀 더 빠르게 뛰고 있을 뿐이라는 게 우습지 그래 우습다 달마다 바뀌는 거처가 달마다 바뀌는 이름이 달마다 바뀌는 성이 달마다……

구원이니 회개니, 빛 좋은 개살구 같은 소리를 할 거라면 입을 닫읍시다. 벌어진 아가리에서는 시취가 납니다. 이미 망친 인생입니다. 탁색으로 조져진 인생에 마블링이 화려한 꼴인데, 신도 아름다운 것들을 사랑하신답니다. 사랑하는 피조물 중 아름답지 않은 것이 없다고 하신답니다. 제가 얘기한 적이 있을 텐데요. 누구는 이유를 찾고 누구는 서사를 찾는다고. 제 인생은 험담과 악담과 음담이 아닌 적이 없었다고. 제 입에서 나오는 말들이 어디까지 진실인지도 모르시지 않습니까. 숨소리마저 꾸며내는 삶입니다. 다음 생의 불행까지 싸그리 모아 혈관에 꽂아야 하니까요.

이제 알겠지. 나는 썩어가고 있는 거야. 시반을 온몸에 곰팡이처럼 키우면서……. 나는 고르고 골라 가장 최악의 패를 뽑는 사람이니까. 그러니 오늘도 생을 배반하고 생을 꿈꾸는 것들을 버려야지. 자, 참변이 코앞이야. 휘두르지 않고 뭐해. 나를 짓눌러야지. 어서.

울지 마. 왜 울어. 나 같은 새끼 이해하고 연민해서 뭐 어쩌게…… 넌 내가 멀쩡하다가 아주 가끔 미치는 줄 알지. 나는 늘 미쳤다가 아주 가끔 멀쩡해. …… 지금처럼. 난 내 손에 죽은 새끼들도, 너도 안 불쌍하고 나도 안 불쌍해. 뭐가 미안하고 뭐가 잘못이야. 야, 나도…… 나도 그냥 치열하게 좀 살았던 거야. 죽을 때까지, 죽어서도 후회, 반성, 회개… 그딴 거 안해. 난 죽을 때도 눈 부릅뜨고 죽을 거야. 내가 늘 얘기했잖아. 내 입에서 나오는 말, 어디까지 믿을 수 있냐고. 불행의 서사, 그런 게 있기나 하겠냐. 있다고 한들, 아름답기나 하겠냐. 니 걱정이나 하라는 말, 너나 잘하라는 말 같은 거 안 한다. 니 인생, 니가 조지든 말든……. 근데 내 걱정은 하지 마. 그건 내 거잖아, 그치.

…… 니가 하는 사랑, 걱정, 연민, 동정, 이해.
사실 좀,
무겁고 무섭고 버거워서 그래…….

내가 안주하게 될까 봐.
안줏거리도 되지 못하는 인생을 오래 씹으면서 살고 싶어질까 봐.
야……
내가 미안하니까,
사랑 좀 관두면 안 될까.
나는 사람을 관뒀는데 사랑 하나쯤 관두는 건 더 쉬울 텐데.

내가 주는 건 폭력적인 낭만이 전부인데
너는 뭐가 그렇게 자꾸 내가 눈에 밟히고 서러워, 왜…….

내가 지금 맨정신이라서 그래. 돈은 많은데 삶은 자꾸 궁핍해지니까. 너도 알 거 아니야. 밤마다 꾸는 꿈은 많은데 마음이 가난해지는 것처럼. 똑같은 거야. 나도 그래. 내가 그래. 너만 그런 거 아니야. 너 죽을 때 내 옆은 아닐 거라는 말, 사실은 너보다 내가 먼저 죽을 거란 말이었다. 내가 널 사랑하지는 않아도 곁에는 있었을 테니까.

그러니까 나는 늘 니 최악일 수밖에.
늘 니 악몽일 수밖에. 불유쾌한 잔상일 수밖에.

봐…….
이제 너는 내가 미치지 않았어도 울게 됐잖아.

미성숙과 마주하지 마. 이렇게 친절한 미성숙이 있을 리 없다.

자. 잘 자. 잘 자라고, 좀…….
응, 나는 다시 미쳐 갈게.
미처 가지 못하니까.
나 너 사랑 안 해. 알지.
내가 사랑이 뭔지 어떻게 알어.
사랑 안 한다고. 죽어서도 안 해.
…… 응, 안 하는 거야. 안, 하는 거라고

…… 얼마나 묶이고 싶은지 좀 볼까.

아직이야?

잘 묶이고 있는지 확인이 안 되네…….

이걸, 이렇게 묶는 게 맞던가.

야, 손목 좀 더 들어 봐.

여기, 매듭이, 이게, 씨발.

내 눈이 왜. 아직도 내가 니 이름 하나, 모를까 봐.

내 Speedball.

…… 씨발, 눈이 하얗게 또 까맣, 게 깜빡깜빡깜빡깜빡깜빡깜빡깜빡깜빡깜빡깜빡깜빡깜빡,뚝. 손목이 끊어졌나. 아직 숨은 붙었던데. …… 목을 조를 수는 없잖아, 그치. 그치, 눈을 떠야지. 그렇게 꾹 감고 있으면 내가 니눈위에뛸엎어서파먹을줄알고.

좋았지?

…… 혀 좀 내밀어 봐. 아직 핥을 게 더 남았을지도 모르잖아. 그러니까 그 래…… LSD 라던가 혹은, 어? 어? 어? 두익이? …… 갠 옆 방에 있지. 들어도 돼. 난 니가 울고…… 걔가 듣는 게 좋아. 들으라고 하는 거라고……. 그러니까 더, 옳지, 겨우 묶이고 끊어지는 게 대수야?

…… My Speedball, 내 혈관에 니가 흐르는 건 죄악일까 아닐까. 봐, 여기를 세로로 가르면 니가 쏟아지는 거야. 니가. 니 이름은 그게 아니야? …… 아닐 텐데. 내가 부르는 게 니 이름일………… heroine 이던가.

이제 누울까. 땅은 깊고 밤은 길고 너는 나를 잃을 거니까.

…… 사랑했지? 응. 그거. 지옥에서는 눈 함부로 감지 마. 낭만 실조는 무슨……. 나는 늘 허기가 진단 말이야…… ……. 곧 죽을 테니까. 잘 자, 내 죽음의 몫까지.

예쁜 색으로 하나……. 근데 이거 삼키면 세상이 죄다 무채색으로, 보여, 그래도? 입 벌려, 손가락까지 같이 삼키게 해 줄게…… 너 그거 좋아하잖아, 내가 혓바닥 누를 때, 구역질 올라온다고…. 그렇게라도 해야, 내가 역하다고…… 응? 응? 응? 하긴, 니가 삼키고 싶은 게 손가락만은 아니랬지…… 더 역한 것도 삼키고 싶다고 하잖아, 그러니까 예를 들면…… 예를, 들면, 뭐였더라?

근데 내가 너한테 주고 싶은 거, 삼키게 만들고 싶은 건 겨우 이런 거야.

혀 위에서 녹일 수 있는 것들…… 그러니까 그냥, 대충 흐물하게 빨아먹고 삼킬 수 있는 게 아니라……. 이것도 역한 나를 이루는 거니까, 이해하지, 이해하지, 이해하지.   이해해야지.

계속 그렇게 벌리고 있어, 턱이 빠질 때까지…… 혀가 차갑고 목구멍은 뜨거워서 이가 빠질 거 같아??????? 쉿, 괜찮아, 쉬이이잇, 이가 빠지면 더 좋아…… 너는 자주 이를 세우니까, 응. 지금은 내가 얼마나 역겨운지 대답해 봐…… 아니, 입은 다물지 말고…… …… 겨우? 이렇게 헛구역질을 하면서도 겨우? 손가락 하나쯤 더 물어야, 목구멍을 쑤셔야…… 아니야, 아니지.

그래, 하나쯤 더. 이번엔 안쪽까지 처박히게, 아니, 니가 기대하는 그거 말고, 이거.

…… 내가 어떻게 모르겠어. 뭐든 박히는 건 다 좋아하잖아, 아, 이건 너무 저급했어? 근데 내 인생이 그래, 니 인생은 이렇고. 그러니까 칼이 박히거나 말이 박히거나…… 결국 제일 마지막엔, 니 마음에, 내가 박히거나.

아직 눈이 덜 돌았네. 아니면 내 시야가 뒤틀려서, 돌아버린 니 눈을 내가 똑바로 보고 있는 걸지도. 그런 걸지도. 그렇게 된 걸지도. 어쩌면 사실 이미 눈깔이 바닥을 구르고 있을지도. 데구르르르르르를르르르르를르르르를르르르를르르르르르르…… 탁. …… 근데 너무 취하면, 내가, 곤란, 곤란한데……. 이것도 사실 내 거잖아. 사실은이게내자비고이건내거고나한테빌린거고그걸니가다처먹으면어떻게하자고이개같은년아 …… …… 아, 그래. 너도 내 거지.

                                                                  언제까지?

너는 이렇게 지리멸렬하게도, 나를 어떻게든, 종속시키겠다고…… 너 저열하고 저급하고 천박한 거 좋아하는 거 좋아, 좋다? 근데 난 천착한 거야…… 그 이상인 거야, 아니, 이상한 거라고 할까…… 우리 말고, 나. 중독될거같아? 그거중독아니고세뇌야 나는독을삼키다못해독이됐으니까 근데어떤사람들은독을약처럼삼켜 사약처럼사약처럼사약처럼 사약을삼켜도살아남은사람들이있거든 들어본적있나 사약을삼키고살아버린나를보고있으면서 고개를젓는건너밖에없을거야

51

너 하나, 죽였다가 살렸다가, 울렸다가 웃겼다가, 죽어가는 줄도 모르고 죽게 하는 일에는…… 나만 한 새끼가 없어, …… 미리 준비하긴 무슨, 내 다른 이름은 즉흥이고, 또 다른 이름은 사고야, 마지막 이름은 부고쯤 될까……. 너하나틀어쥐는일에는나만큼천재가없고 천재는요절한다는데나는왜 아직안죽었지 묻는다면신이나를지나치게사랑하셔서…… 그래서신은죽었다고 하는거야…… 나는나를사랑하는것들을죄다죽이니까 그러니까, 하나 더 삼켜.

예쁜 색, 예쁜 색…… …… 예,쁜 색. 예쁜, 색……
색이 뭔지 맛이 뭔지도 모를 년이 예쁜 색 타령은, 씨발…….

어어어어어어, 물어도 돼, 아니, 거기 말고, 물어봐도 된다고, 응. 아, 저거…… 손목. 어제 묶었던 손목. 피가 안 통하니까 떨어졌더라고…. 쟤는 어제의 로망이고, 너는 오늘의 낭만이고. 쟤가 누구냐면…… Speedball. 너? 아아, 내가 얘기 안 해 줬구나, 너는…… Ecstasy, 내가 오래 녹여 먹을 Ecstasy. 왜, 또 뭐가 불만이야. 씹어 줘? 자국 남는 건 하여간 다 좋아 해, 그치. 아, 이번엔 진짜 눈이 뒤집혔네…. 자꾸 이렇게 뭘 모으면 안 되는데……. 어제는 손목, 오늘은 눈깔, 내일은 뭐…… 심장이라도 뜯을까. 그걸 모아서 합치면 그건 어떤 감상이 될까……

…… 거기엔 무슨 이름을 붙여야, 어, Candy or Dear?

미치지 마, 미치는 건 나 하나로 족하지……. 미친 새끼와 절대 미칠 수 없는 새끼가 한 지붕 아래에 사는 건…… 그래서야, 그래서라고, 그래야 안식이 온전해지니까.

온전?
응, 온전.
넌 씨발 여전두 허다…….
왜, 너도 하나 주까.
온전 같은 소리를 다 하고.
사지가 찢긴 새끼들을 마당에 묻고 사는데도 땅은 움푹 들어갈 기미가 없어, 그럼 땅은 온전한 거지.
…….
손이나 털자. 난 저걸 다 털었으니까.
근데 쟨 어디서 온 애냐.
몰라.
몰라?
엉, 몰라. 근데 이름은 알아.

Ecstasy or Candy?
마음에 드는 이름으로 부르면 돼, 부르는 게 이름이고 부르는 게 값이니까.
근데 아마 비싸게 치지는 못할 거야, 쟨 대답이 없거든.

이 동났다, 그러니까 내일은 다른 걸 고르러 가자…… 아니, 사는 거 말고
고르는 거……. 아, 약……. 내가 먹은 건 사탕이고 쟤가 삼킨 게 약이지.
눈이 왜 돌긴, 난 항상 미쳐있고 가끔 멀쩡하니까. 설마 진짜인 줄 알았어?
…… 킬킬킬킬킬킬킬kill, kill, kill 내가 지금 뭐라고 했더라.

기만한 거야. 나는 기민하니까, 언제든 기만할 준비가 되어있으니까, 이만
한 걸 다행이라고 생각하면 돼. …… 응, 그냥, 죽이고 싶었어…… …… 날
역겨워하고 싶다잖아. 지가 뭔데.

그러니까, 내가 말했지. 내가 하는 말, 어디까지 믿을 수 있냐고. 나는 겨
우 단면이야. 이제 겨우. 가자. 내일은 다른 얼굴로 와. 가죽을 벗겨서라도.
그럼 나는 으레 그런 것처럼 또 모른 척, 한 번 더 쑤시고 헤집어서 파정
없이도 몇 번이나 너 하나쯤 가게 해 줄게. 나도 사정射精하고, 너도 사정
事情하면 그게 우리 육욕이지, 뭐.

이제 남은 거 없어, 가.
야, 근데…… 오늘은 몇 번이나 갔어?

내 손이 목에 닿을 때, 기도를 누를 때, 질식해 죽을 것 같을 때, 정말 죽어 버리기 직전에…… 내가 그 표정을 얼마나 좋아하는데. 그러니까, You're gonna drown in me.

단언할 수 있는 건 말이야, 어쩌면 종말이 머지않았다는 사실 하나만 남았을지도 몰라. …… 그럼 다음 생을 기대하게 될까. 너도, 나도. 섭섭한 눈이네. 말의 거리에 대해 생각하고 있기라도 한 것처럼. 알잖아, 나는 상간할 때가 아니고서야 우리라는 말은 입에 담지도 않는다는 거.

넌 너무 걱정도 말도 생각도 많아 소란스러운 눈이 내 바닥을 투영하니까 그래서 내 충동이 바닥을 치지 못하는 거야 그 눈을 죽이고 싶으니까 넌 숨마저 지겨워…… 들숨과 날숨이 고르니까…… 그 틈을 쪼개고 쪼개고 쪼개고 쪼개면 결국 남은 찰나가 없어 죽기 직전의 공허를 겪는 거야……

어어, 벌써?

넌 모르겠지만, 이건 가장 수고스러운 죽음이야. 내가 가장 공을 들이는 죽음. 어때, 좀 기쁜가. 그럼 눈이 좀 더 뒤집혀야 할 텐데. 비밀 하나 얘기해 줄까…… 내 살인의 시작은 여기서부터라고……

…… 쉿, 손 뻗지 마.

니가내손목을아무리쥐고잡아뜯고할퀴고핏줄이죄다터져뚝뚝흘러도 더러운피를삼키는건내가아니라너잖아 나만큼발버둥쳐본적도없으면서 너같은게너같은게너같은건 그래, 이건 내 또 다른 충동이고 니 또 다른 절정이고. 오늘은 몇 번이나 갈 거 같아? 사실 답은 하나야. 딱 한 번. 죽음은 무한하지 않고, 네 목숨은 하나니까.

무식한 새끼들은 그저 숨을 막는 게 전부라고 생각하지 근데 말이야 실은 여기를 눌러야 해 엄지와 검지가 닿는 곳 그래 여기 좀 더 오래 컥컥대는 소리를 들을 수 있거든 닥치는 대로 처박는다고 느끼지 못하는 거랑 비슷한 거야 응 듣고 있지? 잘 들리나? 눈이 하얗게 질린 거 같은데…… 오늘은 손을 떼지 않고 싶어질지도.

내가 잃는 거? 돈? 돈? 돈? 돈? 돈? 어차피 니 것도 아닌데 왜 이렇게 내 상실에 관심이 많아 그에 비하면 니가 잃을 건 니 목숨인데도

Asphyxia, 오늘은 기필코.

아씨발산통다깨졌다그래숨이나한번더쉬어내가녀하나죽인다고그래뭐그렇게대
수겠나죽도록사랑하는것도죽일만큼사랑하는것도아닌데그치년멍청해서좋은데
멍청한게문제야

왜, 또? 방금 사지를 다녀온 년이 네 손목을 죄다 뜯어 놓은 년이 눈이 뒤집혔던 년이 입에 거품을 물기 직전이었던 년이 또? 넌 질식하지 않으면 평안하지 못하는 병에 걸렸고…… 나는 시체들을 쌓인 애인처럼 보는 병에 걸렸지 그래 그래 그러자 죽자 이번엔 자국이 남지 않게 손자국이 남지 않게 지옥에서 내 지문을 확인하지 않게 쉽게 열리지도 닫히지도 않게 목구멍이 그것처럼 조이게 팔아도 팔리지 않을 목숨 공짜로 거둬 줄게 너도 쟤처럼 혹은 쟤처럼 내 그림자에 숨어 살게 해 줄게 내가 가장 사치를 부리는 죽음이니까 그림자가 되게 해 줄게 그래 착하지…… 뭐? 이번엔 진짜라고 했잖아…… …… 숨이, 멎었나. 숨이 닿던 손등이 이제는 점점 차게 식어가는데.

목구멍을목구멍이목구멍이목구멍을목구멍을목구멍이목구멍이목구멍을목구멍을목구멍이목구멍이목구멍을목구멍을목구멍이목구멍이목구멍을목구멍을목구멍이목구멍을……

그래도 넌 사지 멀쩡하게 죽었잖아…… 눈도 뜨고 죽었고 누구는 손목이 잘려 죽고 누구는 눈깔이 빠져 죽었는데 그래도 너는…… 아, 떨어져나간것들을네게붙일까그럼인간답게죽지못했다는끔찍함에너는소리없이입만벌려비명을지를년이니까

어떻게 뭐…… 다시 깨울까?

…… 아직 몸은 따뜻하니까 썩은 피를 뽑아 새것을 넣어 주면 살아날 법도 한데. …… …… 근데 몇 번을 살려도 몇 번을 죽여도 네 사인은 영원히 질식사일 게 뻔하고 나는 또 충동을 이기지 못할 게 자명하니까…… …… 아, 또 무료한 거야, 나는, 그래서 내가 이걸 끊지를 못한다니까…… 멀리서 봐도 비극이고 가까이서 봐도 비극일 이야기에 뭘 바라고 있어 니들은 아직도……

구경 끝났으면 꺼져, 씨발년들아.
아. 직접 조르지 않아도 발발 떠는 게 꼭……
이런 쪽에 취미가 있는 줄은 몰랐지.
How many times did you peak, My compulsion?
눈가는 젖었던데. 붉게.

입이 열 개여도 모자라서 말이 백 개가 되던 날의 기억을 간헐적으로 쏟고 있다. 나는 망가진 죄밖에 없어. 튀어서는 안 되는 방향으로 튄 죄, 부러진 뼈가 살갗을 뚫고 나온 죄, 죽어도 뉘우치지 않을 죄. 말해 봐. 내가 지금 제정신인지.

비 냄새가 짙다 곧 또 장마철인갑지 너는 비만 오면 그렇게 하늘을 보더라 나는 비가 오면 자주 좆같아지고 가끔 유해져 비린내가 내 몸에서만 나지 않거든 죽어도 씻기지 않을 거 같던 악취를 거기에 숨기는 날엔 가끔 생각한다

…… 나도 한 번은 사람 새끼였다고.

이다지도 가렵고 이다지도 가여운 내가 겁탈한 짐승이 한 트럭이야 북북
북북 북 북 북북북북 북 북북북북…… …… 있지도 않은 것들이 있을 리가
없는 것들이 있어서는 안 되는 것들이 상념이 잡념이 벌레처럼 매달리는
것들이 그 위로 손을 뻗게 만드는 것들이 쓰다듬이 아닌 자해 같은 것들
이…… 내가 백 번 쏟아진 폭우를 맞아 멍이 든 자리를 까도 크게 앓지 않
던 너는 내가 사람 같은 얼굴만 하면 꼭 그렇게 울더라고……

차악과 최악이라는 말은 악에도 대기표가 있다는 것 나는 매일 가장 이르
게 번호표를 뽑았다 처음에는 울었던 것이 중간에는 일그러지고 나중에는
버석해지는 거야 통증이 나를 지나 타인을 꿰면 내 앞에는 엉겨 붙은 살점
들이 꼬치처럼 매달려 나를 원망하고 나는 절망에서 가장 먼 자리에 꿰어
진 살점

사실은 말이야 사실은 있지 사실은 정말로 내가 자꾸 사실이라는 말을 덧
붙이는 건 이게 정말 사실이라서 하는 말이야 그러니까 사실은 내가 척살
되기를 간절히 바란 적도 있었어 베이면 피가 나고 찔리면 아프고 다친 자
리에 딱지가 앉는 일로 지저분하게 안녕을 확인하는 일 안심하는 일 무탈
하지 않음으로 무탈을 확인하게 되는 날이 늘어나는 일이 죽음을 피하는
것으로 내 죽음을 간절히 바라게 되는 일이 곤혹스러워서 …… 간사하게도

                    그럼 또 두 번 사람 새끼가 된다.

전엔 그런 날이 있었어 두익이가 차린 밥을 먹고 부족한 맥주와 담배를 사서 바람이 불 때마다 불쾌하게 삐걱대는 녹슨 그네가 있는 놀이터에서 나는 맥주를 마시고 두익이는 담배를 피운 날 해가 질 때쯤 집에 돌아와 여전히 귀에 익지 않은 타국의 언어가 흘러나오는 라디오를 들었던 날 나는 두익이한테 담배를 피우는 이유를 물으며 몸을 긁었고 두익이는 오늘 같은 날도 약을 찾는 이유를 내게 물었는데…… 너무 평범해서 그랬어 너무 평범해서 사실은 이게 가짜 같아서 약에 잔뜩 취해서 내 목을 찌르면 불편한 현실로 돌아올 수 있을 거 같아서……

그래서 세 번 사람 새끼가 됐냐고?

두 눈을 시뻘겋게 뜨고 있어도 괴사한 살은 다시 살아나지 않아 나는 사람보다 짐승에 가까워 썩은내에 더 예민하지 그걸 덮으려고 남의 살을 찢어도 봤어 그러면 잠깐 살 거 같은 거야 악독해지는 건 금방인 거야 왜 그러고 살아 왜 그러고 살아 백 번을 원망하면 천 번을 또 찢는 거야 얘기했었나 얘기했었지 너는 권선징악 계속 좋아하면 되는 거고 나는 그냥 악인 상태로 남는 거고 내가 치열하고 철저하게 악으로 사는 것도 살기 위해서 산 거니까 반성도 후회도 안 한다고 난 아직도 그래 빌어먹게도 앞으로도 그럴 거야 절대 이 순환을 끊지 못할 거야 잠깐, 아주 잠깐 괜찮은 순간들이 있어 내가 아주 사람이었을 때…… 웃기지 아주 사람이었다는 말 말이야 어쨌거나…… 사실은 절대 내가 겪어본 적도 없고 앞으로도 겪지 않을 일이라는 건 거짓말이었다 사람이 만드는 환상이 얼마나 치사한데 실은 내가 겪었던 것들 중에 앞으로는 절대 겪지 못할 것만을 그리는 게 환상이야 그래서 깨고 나면 더 좆같은 거야 그립다는 생각도 없이 그리워하는 일을 반복하는 거 같아서 마치 모래처럼…… 발에 밟히면 털어내긴 힘든데 손에 쥐려고 하면 손가락 사이로 빠져나가는…… 모래처럼 근데 정말 더 끔찍한 건…… 그때의 나도 나였을 텐데 매번 희뜩하게 윤곽이 바뀐다는 거야 내가 어떤 기분이었는지를 내가 모른다는 거야 기억이 있는데 기억이 나지를 않는다는 거야 그게 너무 끔찍한 거야 나는 처절하게 움직이는데 깨지 않는 가위에 눌린 사람처럼 끔찍하다고

이제 정말 세 번, 사람 새끼가 됐을까?

비가오는낮비가쏟아지는밤하늘에서는지렁이가떨어져힘줄을타고척추를타고모든구멍이란구멍에서벌레가기어나오는밤짓눌러도터지지않는벌레가이로씹어도찢어지지않는지렁이가축축한흙이아니라눅눅한내게서기어나오는비가오는비가내리는비가쏟아지는……

이러니 내가 사람 새끼이고 싶겠니 차라리 금수를 자처하면 손가락질만 받고 말걸 사람 새끼를 자처하면 동정과 연민을 받아야 할 지경인데 아 사실은 그것마저도 아까울 지경인데 말이 길었다 그래 입이 열 개라도 모자란 변명들이 많은데 내 입은 열 개가 아니라서 그래서 단어를 조각내면 말이 백 개로 늘어나는 거야 어렴풋이 어렴풋이 어렴풋이 점점 희미해지는 일에 매달린다는 건 그래…… 난 내 얼굴이 기억도 안 나 지금도 그래 거울을 보면 위화감이 들어 이게 나였던가 내 감정과 상관없이 울거나 웃다가 깨면 한 번씩 두익이가 묘한 눈으로 나를 보는 것도 사실은 저 새끼 눈도 이미 한참 전에 죽었다고 생각했으면서 그럴 때만 살아서 날 보는 거 같다고 생각하는 일도…… …… 좆같은 거야

사실은 말이야 사실은 있지 사실은 정말로 내가 자꾸 사실이라는 말을 덧붙이는 건 이게 정말 사실이라서 하는 말이야 그러니까 사실은 더는 어떤 것도 어떤 감정도 어떤 자극도 없는 주제에 생을 꿈꿨다고 생각하면……

끔찍하게 살고 싶어…… 세 번쯤, 사람 새끼로.

지독한 얘기,

듣고 싶었잖아…… 그치.

잊고 싶었던 기억을 끝내 다시 꺼내 잊었는지 확인하고 또 남몰래 잊었다
고 착각하면 잊게 되는 줄 아는 그런 잊음에 정말 잊는다는 일이 존재할
수 있을까 그래서 나는 내 것이 아닌 것들은 잘 기억하는데 정작 내 건 하
나도 남은 게 없는데 그런데도 희미하게 남은 것들은 가끔 끔찍하고 지독
하고 그래서…… …… 울었다는 자각도 없이 울고 나면 치욕스러운데도
……… 근데 또 이것마저 잊어…… 지금도 아마 곧

미안하다 나는 또 금방 잊고 흐릿할 얘기를 너한테는 남기는 이 비겁함까
지 근데 이것마저도 나라서 내가 견디지 못하는 것도 나라서 니가 듣고 싶
어 한다는 핑계를 구실로 삼는 것도 나라서 미안하다 사실은 미안하다는
말이 무슨 뜻인지도 모르면서 미안하다고 말하는 것까지도

그래도 두 번 사람 새끼였으면 됐다. 산 송장처럼 살아도 가끔 나를 사람
으로 대하는 이들의 귀가를 기다리는 삶이라면, 짐승 새끼여도 괜찮다고
생각하니까.

> …… 나는 망가진 죄밖엔 없어.
> 그러니까 지독하고 지독하게
> 계속 내 벌이나 기도해 주라.
> 그땐 내가
> 감히 실망할게.

2 유락遊樂의 죄인

내가 너무 나태하고 무르게 변해 버린 거지. 그래, 그래…. 탈피하자, 그래, 탈피를……. 교활과 교만을 등에 업고, 죄 그 자체가 되어야지. 타인의 이 브를 백 번, 천 번 기만해 내 손아귀에 떨어지게 하는 것. 죄는 선악과가 있기도 전에 있었다. 행해지지 않았을 뿐. 그래, 나를 원죄라 불러. 몇 번 이고, 몇 번이고. 악은 선의 부재라 했다. 선과 단절되도록, 단절되도록, 단절되도록. …… 어, 판 새로 짜자고.

나야. 오랜만에 사업 하나 하자고. 지난번처럼 짜치게 렌터카니 뭐니 관두고 제대로 된 걸로, 제대로 된 놈들 데리고. 장소, 시간은 문자로 보내둘 테니까 확인하면 바로 지우는 걸로. 어, 한국에서. 여흥? …… 이만하면 즐길 거 다 즐기지 않았나. 베트남, 호치민… 좋지. 좋은데, 요즘엔 그쪽 장사도 영. 그래, 주재관이랑 공안끼리 라포가 워낙 좋으니까. 장 씨 새끼들은 안 돼. 그 새끼들은 제어가 안 되거든. 사업 얘기는 만나서 풀어야지. 하, 이걸 패를 까라 그러시네. 좋아. 대신 깔끔하게 갑시다. 이번에는 신과 선을 팔 거니까. 사람들 참 순박해. 아직도 선의, 호의 같은 걸 믿는단 말이지. 대충 건물 하나 임대해서 연고 없는 놈들 불러다 먹이고 재워. …… 그래, 이해가 빨라서 좋네. 아. 이번엔 나랑 두익이 몫까지 쳐서 7:3. 그만한 새끼가 또 없어. 대가리가 둘이냐고? 뭘 그런 걸 다 물으시고.

약에 취해 손 덜덜 떨어도 신이 깃들었다는 소리 하나면 껌벅 죽어. 의지할 곳이 없는 사람들 하는 생각이야 뻔하지. 기도나 하라고 하시고…… 할거야, 말 거야.

모독? 태생부터 불신 가득한 종자한테 모독은, 무슨. 본인 피조물이 스스로를 망칠 때도 돌아보지 않으시던 양반이야. 한 방에 주님 곁으로 보내 드린다고 해. 그토록 사랑하시니 곁에 두고 싶으시겠지. …… 그럼 이따 봅시다. 머리는 덜 쓰되 태는 깔끔한 놈들로 두어 명, 자선 사업엔 태가 중요하니까. 웃는 낯짝으로 악독하게 짜내는 요령이 있는 놈들이면 더 좋고.

뭔 소리.

아아, 이거?

내가 뭘 좀 태우느라.

머문 자리 정리가 안 되면 잿더미로 만들어야지.

예, 그럼 끊습니다.

유독한 그네들의 선의가 위선이 되어 파도처럼 몰려오던 날. 넝마 같은 시간을 견디지 못해 친히 익사시켜 드렸노라고.

당신은 틀림없이 불우한 역사를 걸었을 것이다, 라는 말에는 오만이 똬리를 틀고 있어. 사실은 기이할 것도 끔찍할 것도 없으리라 믿는 일에도 늘 예기豫期치 못한 일이 생기기 마련이고, 나는 언제나 그들의 예기銳器였는데도.

사실 악이라는 건 대단한 게 아니야. 어떤 방향으로 끌어갈 수 있는 것도 아니고, 억지로 키울 수도 없고…. 그러니까 내 말은…… 나는 태생부터 이런 놈이었다고. 혓바닥 아래, 가장 깊게 파인 곳에 늘 의도를 감추고 살기 바빴던. 믿을 수 있겠어? 아. 전에 했던 과거사 얘기는 이게 아니었던가.

갓애새끼티를벗은소년이고개를떨구고벌벌떨고있었다저도제가왜그랬는지모르겠어요폐쇄적인그집담장은언제나높았고이웃들은무감했으니설령살아남은것이악인이더라도그입에서나오는말만을믿어야만했다뉴스에는연일가정폭력과아동학대에관한이야기가흘러나왔다…….

그것은어쩌면예견된비극일지도모른다는말이떠돌기시작했다전문가를자처하던이들은인간의성선설을내세워그릇된사회의행태를비판했다나는나이브한척을곧잘하는편이었다고개를숙이고있으면비난도비판도죄다나를피해갔다사실벌벌떨었던것이아니라들썩이고있었던건데도.

내가 감호소에 있을 때 지능 지수 검사를 받은 적이 있었어. 최우수 수준의 결과가 나왔다는 소식에 나는 좆됐다는 생각을 제일 먼저 했었는데, 사람들은 눈시울을 먼저 붉히더라고. 저렇게 똑똑한 애가 어쩌다… 같은 감상을 하는 거야. 그걸 보면서 내가 무슨 생각을 했을 거 같아? 저렇게 똑똑한 애가 어쩌다. 같은 천편일률적인 사고나 하고 사니까 저러고들 살지. 그거였다. 누구 하나쯤은 저 새끼가 저렇게 똑똑하니까…… 로 시작하는 의심 한 가닥을 안 하는 거야. 누구도 내게 선의를 베풀지는 않았다는 거지.

그래서 내가 장마철을 싫어해. 눅눅한, 아주 퀴퀴한, 속부터 썩어가는 것들만 내는 냄새가 나. 왜냐고? …… 빨래가 잘 마르지 않는 계절을 억지로 버티라잖아. 그래서 내가 목을 조르게 했잖아. 그 습기에 익사시키게 만들었잖아. 그게 아직도 흐느끼면서 매달리잖아. 난 아직도 덜 마른빨래만 보면 치가 떨려. 이걸 왜 지금에 와서 얘기하냐면…… 말 못 할 일도 아니게 됐기 때문에. 선의에는 영리해지고 호의에는 영악해지지. 나는 착실하게 영리하고 영악하도록 자라났다는 거야. 다른 사람의 성과 이름을 잡아먹으며. 친히 성을 빌려준 그 아무개 씨는 방에서 잘 살고 계셔. 무슨 뜻이냐면…… 아버지가방에들어가신다, 같은 거야. 그래, 방에서 몸을 웅크리고 평온을 가장한 잠을 주무시고 계시지.

영면을 기도하시던 분이니 감히 내가 신 따위와 어깨를 나란히 했다고 하더라도 용서하실걸.

치욕 같은 불행은 아니지만 무참하게도 돌이킬 수 없는 순간들이 분명히 있어. 나를 집어삼키는 아니, 내가 집어삼킨. 그래서 내 몸집이 자꾸 커지는 거야. 내게 빠져 익사한 영혼들이 쿨럭대는 소리가, 마치 파도치는 소리처럼 들릴 때…… 나는 그 순간을 놓치지 않는 사람이야. 그 틈에 섞여 온전히 그들의 이름을 뱉는 내 목소리가 얼마나 달게 들리겠어. 몸집을 부풀리기 위해 빠져 죽으라는 말이 얼마나 황홀하겠어. 오염된 희망을 표류하게 두는…… 뭐라더라…… Mermen? 실은 물에도 뱀이 산다는 것도 모르고.

…… 여기쯤 차 세워. 저기 앞에 보이지. 딱 봐도 잘 삽니다, 써 있는 집 말이야. 그래, 저기 사는 여자가 순수하진 않은데 순진하거든. 여기서 잠깐 대기하고 있어. 두 시간쯤 뒤에 문 열고 전화할 테니까 그때 오면 돼. 이번 일 틀어지면, 알지? …… 우산은 둬. 좀 젖어 있어야 혹하는 법이거든.

방금 했던 얘기…. 뭐, 중요한가. 설령 니가 어디서 떠들어도 믿을 사람 하나 없을 텐데. …… 아, 이 여자 귀신이네. 딱 알고 전화가 다 오고. 내린다. 괜히 수상하게 차 빙빙 돌지 말고 여기 짱박혀있어.

예, 강해상입니다.
____ 씨, 안 그래도 지금 집 앞인데.
문 좀 열어 주시겠어요…… …… 비가 너무 와서…… …… 달칵.

81

예, 강해상입니다.

_____ 씨, 안 그래도 지금 집 앞인데.

문 좀 열어 주시겠어요…… …… 비가 너무 와서…… …… 달칵.

비가 오길래 좀 서둘렀는데, 오래 기다리진 않았나 보네. 무슨 차? …… 아아, 비가 너무 오길래 택시가 안 잡혀서. 아는 동생 차를 좀 얻어 탔어요. 들어갈까. 비 들이친다.

삐걱이는 소리, 사이에 간헐적으로 터지는 낮은 신음…… 위를 덮는 하이톤의 앓는 소리…… 귓가에 울리는…… 그저 여자일 뿐인, 순수하진 않으나 순진한…….

오늘이 딱 여섯 번째인가. 이제 슬슬 안방을 내줄 때도 됐는데. 여자는 자주 야살스러운 척을 했으나 사실은 지나치게 촌스러웠다. 일례로 칠이 다 벗겨진 키링의 출처를 물었을 때, 수줍게 웃으며 남편의 첫 선물이라고 대답한 때도 있었다. 그 열쇠가 안방의 방문 열쇠라는 점은 또… 의외인 구석이 있었지만. 사랑 얘기를 해 줘요.

심플한 무늬에 바스락거리는 이불을 가슴까지 끌어올리는 여자의 목소리가 잔뜩 젖어 있다. 말을 꾸며내는 일은 많은 시간을 필요로 하지 않는다. 뜸을 들이는 것은 때를 찾기 위함이다. 알맞은 때.

…… 그 열쇠를 준다고 약속하면.

여자의 남편은 건실한 사업가였다. 사람을 믿지 않는. 그러니 제 짝으로 명청한 여자를 고른 건 어쩌면 당연한 일이었고, 쫌쫌따리 붙는 이자를 노리는 대신 집에 금을 쌓아두고 사는 일도 너무나 당연한 일이었고. 외로운 사람들은 늘 사랑에 무너지는 법이라.

그러니까 사랑 같은 것. 무너짐으로써 실은 지탱하고 있다고 믿는 거지.

입가가 비틀린다. 손끝을 달달 떨면서도, 사랑 이야기를 갈구하는 건 호기심 따위가 아닐 것이다. 실패한 사랑을 거울삼아 마지막이 되고 싶다는 호기 정도면 또 모를까.

의도가 돈 혹은 금 혹은 물질적인 것에만 있었느냐고 누군가 묻는다면 글쎄…… 또 마냥 그렇지만도 않은 것이 된다. 만남은 여섯 번째인데 배가 닿은 건 수십 번쯤 되려나. 그사이에 지키고 싶은 것이 겨우 남편의 믿음 같은 것이라는 점에 배알이 꼴리는 것이다. 신의라는 게, 이렇게 우스워서.

시계를 흘깃 본다. 두 시간을 약속했으니 시간을 들이지 않아도 되는 일에 조금은 낭비해도 괜찮을 일이다. 아직 비가 오니까…… 그래, 아직 비가 오니까.

어쩌면 사랑이 될 수도 있었던 여자에 대한 이야기를 합시다. …… 그때도 이렇게 비가 왔었나. 나는 우산이 절실했고, 그 여자는 우산을 씌워 줄 사람이 절실했었으니 아마 비가 오긴 했을 텐데.

그래서 우산을 하나 샀어요, 내가. 서로 절실한 걸 채우는 일이라는 건 사실 어렵지가 않거든. 나는 어차피 우산이 필요했고, 그 여자는 비를 맞고 싶지 않았다기보단 정말로 사람이 필요했고. …… 뭐, 말을 트는 게 어렵나. 왜 웃어요? 설마 그랬을까. 가는 곳까지 씌워 드린다는 뻔한 말이었지. 우산 하나를 나눠서 쓰면 생각보다 많은 게 보여. 이 여자가 무슨 향수를 쓰는지, 어떤 브랜드의 옷을 입는지, 걷는 속도를 내게 맞추는 타입인지 아니면 본인에게 맞추길 바라는 타입인지…… 혹은 사랑을 받는지 학대를 받는지 같은 것들. 내가 우산 안에서 본 여자는 훤히 보이는 목덜미부터 반쯤 가려진 쇄골까지 붉고 푸른 것들을 달고 있었거든. 그럼 답이 나오는 거야. 이 여자의 목적지는 내가 가고 싶은 곳이겠거니. …… 이게 왜 사랑이 될 뻔 얘기인지 묻고 싶은 얼굴이네.

내 목적지는 당연히 내 집이었다고. 그게 그 여자를 만나서 바뀐 거였을까. 아니죠, 아니지. 원래도 내 목적지는 집이었단 말이야. 어깨를 감싸면 그냥 이끄는 대로 따라오는 여자가 무슨 생각이었는지는 별로 안 중요했어. 싫으면 우산 밖으로 도망치겠거니, 그냥 그 정도. 그렇게 이름도 모르는 여자를 데리고 집에 왔네, 내가.

겨우 만 원도 되지 않는 싸구려 일회용 우산이 뭐가 그렇게 소중한지. 대충 던져 놓은 우산을 굳이 집어서 탈탈 털고 단정하게 정리하는 그 여자 손이 참…… 예쁘더라고. 거기에 반해서 반년을 살았어요. 우산을 접는 손이 예쁘다는 이유로.

반년 동안 알게 된 건 여자의 이름, 나이 같은 것들. 고향, 살아온 생…… 그런 것들은 묻지도 않았지만 들려도 주지 않는…… 가끔 몸을 섞는…… 반지를 하나쯤 해 주고 싶다는 생각 정도만 간간이 하는……

어, 볼을 왜 만지지. 눈빛은 또 왜 그래. 애절해요? 애절할 게 있나.

왜 사랑이 될 뻔했던 얘기로 끝나냐면, 반년 뒤에, 비가 오는 날에, 정갈하게 접었었던, 내내 신발장에 처박아만 뒀던 그 우산, 그거 하나를 달랑 들고 사라졌어. …… 글쎄. 잘 모르겠네. 아팠거나 혹은 아프게 했거나. 왜 우산이었는지도, 글쎄……. 그것만큼은 가지고 싶었나.

사실은 허술한 이야기인 거야. 사랑이라는 게 늘 그래. 원하는 사람은 많은데 실체가 명확하지 않고. 거짓말 같은 이야기라고? …… 사랑은 죄다 거짓말 같은 거야. 그래도 들려 달라면서.

거짓말 같은 사랑, 사랑 같은 거짓말. 둘 중에 뭐를 원했는데?

손가락 끝에서 여자의 촌스러운 키링이 빙글빙글 돈다. 상체를 천천히 일으키며 바짝 붙은 여자의 몸을 밀어낸다. 애틋하던 얼굴이 무너진다. 무너지고 있다. 좀 더 무너질 것이다. 다른 손에는 여자의 목이 매달려 있기 때문에.

괜찮아. 당신 남편한테도 당신은 칠이 벗겨진 키링 같은 거였을 거야.
그래도 덕분에 고독사는 면했잖아. 안 그래? 이 멍청한 여자야.
손이 예쁘긴 무슨. 예쁜 손은 쓸모가 없어.
세상 물정 하나 모른다는 뜻이랑 다를 게 없거든.
그래서 나는 손이 투박한 놈들하고만 일해.
내가 믿고 잡아도 되는 손이라는 건 그런 거야.

…… 여보세요? 어, 나야. 문 땄고, 여자 죽었고. 들어와. 우비든 우산이든 그건 알아서 하시고.

알아서 하랬더니 미련하게 우산을 사 오는 꼴이라니. 손 하나는 그냥 놀게 두라는 얘기네. 됐으니까 몸은 적당히 구겨서 넣어. 돈 될 만한 건 상처 하나 안 남게 잘 다루고. …… 씨발, 근데 이 우산은 어디서 샀길래 벌써 뼈대가 다 휘었어?

아. 편의점. 어쩐지 …… 모양이 익숙하다 싶었지.

캐리어는 뒷좌석에 두기로 한다.

살아서도 죽어서도 뒷자리를 면하지 못하는 신세.

집까지는 걸어서 갈 거니까 알아서 처리 잘하고.

…… 어차피 거처 다 아는데.

사람을 그렇게 못 믿어서 어떻게 해? 응?

한 시간 반.

그 안에 도착 못 하거나 연락 안 닿으면 꼬리 자를 거니까 그렇게 아시고.

……

……

……

……

……

……

낡은 철문을 연다. 벌써 몇 년째, 명의만 살려놓고 있는 집의 풍경은 변한 적이 없어 오히려 낯선 것. 신발장 구석에 우산을 아무렇게나 던져둔다. 방에 들어가려다가 멈칫. 발로 걷어차려다가 멈칫.

…… 씨발, 좆같게.

굳이 집어서 탈탈 털고 단정하게 정리하는 내 손이.
내 손은. …… 부러트릴 걸 그랬지.
응. 역시 그럴 걸 그랬지.

거짓말 같은 사랑, 사랑 같은 거짓말.
둘 중에 뭐를 원했는데?

…… 그래 봤자 악의 일대기에 불과한 얘깁니다. 가
끔은 잘 짜여진 이야기가 좀 더 현실 같고,
허술한 이야기가 좀 더 영화 같고……
뭐, 그렇게들 사시니까.
아. 너무 허술했어요?

내가 내 얘기를 푸는 데에는 재주가 없어서.

사랑 얘기를 해 줘요……
말을 꾸며내는 일은 많은 시간을 필요로 하지 않는다……
나는 두 시간을 통으로 할애했고……
탈탈 털고 단정하게 정리하는……
거짓말 같은 사랑……

신의라는 게, 이렇게 우스워서.

비가 지독하게 내렸다. 내린다. 내리고 있다. 삐걱, 삐걱……. 와이퍼가 창문을 닦는 불유쾌한 소리가 귓가에 울린다. 삐걱, 삐걱, 삐걱…….

모다깃비가 이렇게 와요, 한국은. 아무튼 사업 얘기는 잘 들었는데… 수익 분배가 영 타산에 안 맞네. 해상 씨랑 두익 씨 몫까지 쳐서 7:3 은 과하지. 둘이 오래 일한 거 내가 모르는 건 아니야. 그러니까 손발도 잘 맞고 같이 일하기도 편할 거고. 근데 어차피 이거 다 해상 씨 머리에서 나온 거잖아. 그래서 두익 씨 빼고 혼자 온 거 아닌가? 거기다 해상 씨가 뭐… 누구랑 오래 붙어서 일하는 편도 아니고. 오히려 누구랑 이렇게 길게 작업하는 일이 더 드물지. 이 바닥이 원래 그렇잖아. 나는 다 이해를 한다고. 그러니까 괜히 두익 씨 껴서 7:3 어쩌고 하지 말고…… 응?

핸들을 잡은 옆의 남자는 지나치게 말이 많았다. 비가 조금만 덜 왔더라면, 약이 조금만 더 잘 들었다면, 두익이 어쩐 일로 청승만 떨지 않았더라면 이런 진부한 소리를 듣고 있지 않아도 됐을 텐데.

삐걱, 삐걱, 삐걱……. 묘하게 신경이 긁혔다.

쓸 만큼 썼잖어.
날이 무뎌진 칼 갈아서 쓰는 것도 한계가 있고.
슬슬 새 칼 찾아야지.

…… 아, 비가 지독하게. 버석한 얼굴을 쓸어내린다. 칼. 그래, 칼. 언제부터 두익의 이름이 칼이 됐더라. 무의미하게 시트 가죽을 툭, 툭 두드리던 손이 멈춘다. 사업 얘기를 하자고 했더니 말이 많으시네.

내 칼은, 그러니까 두익은 최근 비가 오면 자주 무른 소리를 했다. 여전히 내 지랄맞음과 좆같음과 변덕은 으레 그런 일처럼 넘기는 주제에 답잖게 회의감이 든다고 했던가. 달라질 게 없다는 내 말에 궂은 날씨를 탓하면서. 그 꼴을 비웃은 게 불과 며칠 전의 일이었는데. 회의감. … 회의감. 어울리지도 않는 단어를 입안에서 굴린다. 회의감, 회의감. 지독한 새끼. 묘한 포인트에서, 생각지도 못한 타이밍에 꼭 사람 행세를 한단 말이야. 눈이 빙글 돈다. 무던한 척을 무던히 하더니만 기어이 없는 자리에서도.

사람들이 간과하는 사실이 몇 가지 있었다. 두익이 생각보다 유순하다거나 혹은 머리를 쓸 줄 모른다거나 그것도 아니면 계산이 느리다거나. 모르는 소리. 두익은 호락호락한 상대가 아니다. 예전에도, 지금도. 입가가 비틀린다. 지 속을 갉아 먹고 있는 거지. 나처럼. 그래, 나처럼….

그 지독한 새끼가 숨을 고르는 꼴을 봤어야 하는데. 어디를 물어야 한 방에 숨통을 끊을 수 있을지 가늠하는 그 꼴을 봤어야 하는데. …… 나는 쓸모가 없는 걸 싫어하는 사람이지만, 보는 눈이 없는 건 더 싫어해. 멍청한 건 어떻게든 가르치면 되는데 눈은 타고나는 거거든.

빠아아아아앙------------------.

경적이 비명처럼 울린다. 그러게, 듣기 싫다고 눈치를 줬는데도 왜 자꾸 분간을 못 하시고…. 삐걱, 삐걱, 삐걱. 고꾸라진 몸의 뒷덜미를 낚아채면 고저 없는, 일정한, 불유쾌한 와이퍼 소리가 다시. 삐걱, 삐걱, 삐걱, 삐걱.

나는심사만뒤틀린게아니야 사람이글러먹은거야 당신수완좋은거야알지아는데 당신은수완만좋아 그게문제라는거야 내가사람새끼가아니면 누구하나쯤은사람새끼여야돼 그래야중심이잡혀 그짐승같은놈이진짜짐승일까 그새끼는지독하게도정말지독하게도 그러지않기를바랐음에도 내같잖은바람을뒤로하고 …… 사람 새끼야.

그러니까 비만 오면 그렇게 지옥에 떨어진 신세를 한탄하면서 신을 찾지. 원망할 대상을 찾고. 회의감을 느끼고. 사람처럼 못 사는 나를 좆같게 보는 것도. 그게 동족 혐오인 줄 알았다면 오산이다. 증오라는 것도 착각이다. 날이 무딘 칼이라니.

칼이라니. 칼이라니.

그래서 그 새끼는, 그 인간은, 두익이는 나를 열 번 죽였다가도 열한 번 살리는 거야. 내가 살아 버리는 건, 살아남는 건 그래서야. 빗줄기가 천장 없는 창살처럼 나를 가두는 것도 그래서야. 이건 창살이야. 이게 내 벌이야. 나는 벌을 이고 사는 거야. 지독하지? 지독하지.

흐… 그래, 지독하다.

늬는 또 비를 맞고 다니냐.

야. 해상아…….

그거 왜 하냐. 그거, 주사.

강해상. 늬는, 흐… 아니다.

…

…

…

…

나 왜 두고 갔냐.

내가 들었던 모든 환청은 죄다 벌이었는데도 나는 내 발로 아가리를 벌린, 숨을 고르는, 그 사람 새끼의 목구멍에 대가리를 들이밀고…….

씨발, 빨래 잘 안 마른다고 또 지랄하겠네.

두익아. 나 살 수 있을까. 이젠 빌어먹을 돈이 되지 않는 일에도 자주 심사가 뒤틀려…. 자꾸 사람처럼 굴게 돼. 세 번, 사람이 될 수 있을까. 끔찍하다, 끔찍해. 원망이라도 좀 하면 안 되냐. 나는 몇 번이고 니가 나를 원망하는 꿈을 꿨는데……. 나는 미친 거야. 그렇지, 두익아.

야. 두익아.

빨래 돌리는 거 안 뵈냐.

그 남은 세 번, 그거.

…… 엉.

거기서 나는 살았냐, 죽었냐.

…….

나 아직 안 죽었으면 사람 다시 구하자.

일이 좀 텄다.

아니, 그 새끼가 자꾸 대가리를 쳐내라길래.

엉, 빨래 마저 돌려라.

…… 좀 자게.

어둑한 게 꼭 밤 같다.

거 다 돌리면 너도 자라.

비가 며칠은 더 온다더라.

…… 야.

쯧, 아니다.

담배든 떨이든 불을 붙이는 날이 잦았던 때가 있었다. 미칠듯한 습기에 타바코 페이퍼든 달러 지폐든 모조리 눅눅해져 볼이 움푹 패도록 빨아도 성에 차지 않는다는 핑계로. 창문을 활짝 열어도 역한 냄새가 내도록 빠지지 않으면 그건 그대로 또 불면의 핑계가 되고는 했다.

담뱃값은 오르지도 않는데 떨 값은 천장 높은 줄 모르고 치솟았다. 횟수나 양이 늘면 늘어서, 줄면 줄어서. 울긋불긋하게 물든 지폐의 두께만 갈수록 두꺼워졌다. 잠은 얄팍해지고 눈꺼풀은 무거워지는데도. 거 좀 끊지⋯. 그래서 끊었다. 약 말고 파는 놈의 숨통을.

그럼 또 당장 수중에 떨어지는 양이 꽤 됐다. 그런 날엔 집에 오면서 담배를 보루로 사서 돌아왔다. 또 볼이 패도록. 불면과 불신은 비례했다. 눈은 감되 귀는 열어 두는 방식으로. 그때 그러지 말았어야 했는데. 차라리 날을 겨누고 날뛰었어야 했는데.

이제는 역한 냄새조차 맡지도 못하는 주제에. 또, 불면이⋯⋯.

일을 그르치지 않게…… 이제 멈춰, 멈춰야만 하는데…… 눈앞이핑그르르르르르핑돌고어지럽고허공이내려앉고지붕이무너지고바닥이가라앉으면그목소리가그얼굴이나는…… 알약이고 가루고 액체고, 내가 지금 그거 가릴 처지가 아니라서, 살이 타는 냄새는 또 싫다니까, …… 코로 숨 쉬고 있잖아….

며칠 잘 참았잖아 태가 중요해서 근데 이미 눈이 죽은 건 살릴 방법이 없어 그럼 흉흉하고 형형하게라도 떠야지 반쯤 감은 눈이 마치 계획의 일부라도 되는 것처럼 굴어야지 내가 내 목숨으로 쇼당을 보는 일도 내가 그린 그림 그린 그림 그린 그림 목이 긴 기린이라 숨통이 끊어질 듯 말 듯 환촉으로 살갗을 찢더라도 소매가 긴 옷을 입으면 될 일이라 코카인 블루스 내가 우울을 타고 넘어 생을 도적질하게 될 거 같으면 그거야말로 불행 중 불행이라 그러니까 5분만 10분만 15분만 오늘치의 비참함을 뭇으로 둬야지 코가 괴사하지 않고서야 끝장을 볼 수 없는 비참함을…… ……

다음은 Brown-Brown, 그쯤 될까…… …… 내가 빨아먹고 팔아먹은 화약이 가득이야 터지기 직전이야 이 흥분감이 이 흥분이 나를 도취하게 만드는 이 감각이…… !!!!!! …… 아, 또 이른 추락이야…….

넌 날 사랑한다면서도 내가 망가질 때 제일 안심하더라…… 망가져야만 망쳐 줄 거 같다고 했었나…… 그으, 래, 그래, 그렇게 해 주께, 으응, …… 가지고 와, 그거, 다음, …… 황홀경에 떠는 소, 손이 아닌데도……

내 ㅂ, 불행이나 반추하며, 행복… 해, 행복을 산다고, 값을 싸게 쳐서… 내, 내, 네, 게…… 귀결되리라고 미, 믿… 는, 잔인한…… 해, 행복, 해냐 고, 물었잖어, 그지이, …… 봐, 울면서도 입꼬리가, 찢, 주우욱, 찌, 찢기, …… 이제 좀 사랑하는 얼굴 같으다, 너…….

이게며칠만이더라.

허억, 헉, 허억…….

…….

왜,

또,

아직도,

죽어지지 않는 꿈을 꾸고 있지,

방금 분명,

숨

이 끊어지던 중이었는데…….

내게 불안과 불행은 늘 친근하고 친밀해. 가장 가까이에 두고 날을 벼려 손가락 마디를 끊고, 서약할 것도 없는 주제에 감히 맹신을 바라게 만드니까. 그러니 어깨너머 떨리는 숨소리에는 자주 눈을 감았다. 감아야만 했다. 감히 내게 닿길 바라는 온갖 저주들에 귀를 막고, 더는 뜯을 것도 없는 살점을 뜯으며. 이젠 죽일 것이 없어 나를 죽이냐는 자문에 고꾸라지는 건 내가 아니었는데도. 그러니 나는 자주 죽어야겠다는 말과 함께 죽여 달라는 말을 쏟을 수밖에. 꿈과 환상은 결국 같은 말인 거지. 환상통을 앓는다. 잘라낸 것이 무엇이고 어디쯤인지를 알고 있다. 허상이라는 것도 알고 있다. 그게 역하고 분해서……

네가 꾸는 악몽에 안도하는 환상통을, 오래. 또 앓는다.

정 궁금하면 찔러라도 봐. 니가 웃으면 꿈이고 내가 웃으면 현실인 걸로 하자. …… 등을 떠밀며, 등을 떠밀리는 일. 나는 이것마저 불안해. 나는 이것마저 불행해. 지금도, 앞으로도 내가잘먹고잘살기를바란다는건죄다폭언이야나를향해휘두르는폭력이야. 그러니까 한 번만 더 물을게.

나는미친거야더미쳐갈거야그렇지우린미칠거고나는미친놈들의절망과종말을곧잘이해하고있음에도이미친짓을끝낼수가없어더는묻을수도없고물을수도없어책임을전가하는거야어쩌면이게내평생의후회고벌이될지도모른다는걸알면서도나는그지옥도를같이견디겠느냐고책임을묻는거야우린미친거야더미쳐갈거야 그러니 이 꼴을 보고 있으면 명복을 빌어 주시든, 노잣돈을 얹어 주시든 해야 할 겁니다. 안식은 영면 후에나 있어야 할 것이라, 당장 쥐고 있는 것도 위태로운지라. 요즘 제 돈이 기도祈禱에 달린 탓에 뱉는 말이 죄다 걸려 기도氣道가 막히니까…… 대신 빌어 벌어먹게 해 주셔야 할 겁니다. 착실하게 불행이 쌓일 것이므로, ……, 이것마저 업보라 생각할 것이므로, 속죄도 하지 않는 주제에 감히 단절을 바라고 있으니, ……, 아닙다, 죽이지 못한 것들에 분명 발목이 붙들릴 것을, ……, 그럼 그때는 발목을 끊으면 될 일입니다…….

감히 사랑 같은 걸 하시니까…….

그럼 이제 나도 악신인가 검게 물든 뿔을 달고 차마 모두를 사랑할 낙은 없어 낙원을 짓밟는 악신인가 아 그래서 내가 내게 벌을 내리는 짓을 반복하나 감히 사랑 같은 걸 하시니까? 감히? 발목을 끊으면 도망칠 곳이 사라져 어차피 신은 걷지 않으니까 그럼 그냥 지금 끊읍시다 발목을 …… 근데 내 그늘이 언제부터 당신네들 위에 드리운 것이었나. 그늘이 걷힌다고 눈이 부신 것도 나 하나면 족할 것을. 아니면…… 숭배 따위를 하시게? 됐습니다, 고상한 소모는 지금도 차고 넘치게 받고 있고 더는 모르는 척을 할 수도 없는 일이 됐으니까. 벽에 머리를 박는 꼴이나 구경하세요.

돈, 손에 꼭 쥐시고.

온갖 범법이란 범법은 다 저지르고 사는 약쟁이 살인자 혼자 떠드는 소리가 뭐 그렇게 좋고 대단한 거라고 그렇게 좋아하시나 몰라……. 나는 여전히 밤을 지새우고 엉망인 정신을 가까스로 부여잡고 그저 떠도는 단어를 엮어 그럴싸한 문장인 척, 당신네들 감정이나 쥐어짜고 있는데.

지금도 그래. 충혈된 눈동자, 검은 눈 아래, 퍼석한 얼굴…. 태를 갖추지 않은 날것을 마주하면서도. 나는 아직도 몸을 긁어. 자주 긁어. 불면, 과민, 불안, 식욕 부진…… 이걸 뭐라고들 하던데. 부작용, 그래, 부작용.

돈을 짜내는 거야 쉽지. 사람은 공포 앞에 평등해져. 공포가 어디서 오냐. 압도적인 무력武力을 마주할 때 느끼는 무력無力감에서. 근데 사람 마음을 짜내는 건 쉽지가 않단 말이야. 단계를 밟아야 돼.

차근차근.
차근차근.
차근차근.
잘근잘근.

어, 내가 방금 잘근잘근 이라고 했나.
미안, 짓
밟는 생각을 하느라.

엉망이네, 엉망이야……. 대충 이거 팔고, 저거 팔다가 영 짜친다 싶으면 남의 것도 팔고. 그런 거야. …… 이해할 필요 없어. 오해해. 오독해. 나는 오만을 떠는데 그 정도야 뭐……, 그런다고 상황이 달라질까. 나는 여전히 낫지 않는 불면이 요람인 것처럼 몸을 웅크리는데. 뭐가 달라질까.

여전히 끊지 못한 약이 잠기지도 않은 서랍에 한가득이고 태를 바꿔 다른 사업을 해도 결국엔 사람 팔이인 것에는 변함이 없고 아침은 엉망이고 밤과 새벽은 길고 손을 떨고 오한을 느끼느라 열대야는 전설 같고…… 진작 눈이 죽은 놈은 가끔 산 사람처럼 나를 타박하고.

이래도 멋대로 틀어쥐고 쥐어짜게 두실 거라면…… 고개는 숙여 드려야지. 언제고 돈줄이 될 수도 있는 점 같은 머리통이 수도 없이 박혔는데. 촘촘히 들어차느라 고생들 많으십니다. 가끔 보는 환각처럼, 제게 부유하시느라 염려도 많으실 테고.

그래도 오래 봅시다. 질리고 물리도록. 원하지 않을 때도 옆에 머물 놈이라는 건 미리 사과를 좀 드려야 할 거 같으니까… 긴장 바짝 하시고. 손에 쥔 건 놓지 않는 버릇이 있어서.

아시죠, 제 독기엔 한계가 없다는 거.
눈 돌리지 마세요. 에덴인지 뭔지, 천국 가셔야지.

무더위에도 지겹도록 느껴야만 하는 오한.

홀로 열대야를 기다리는……,

손끝이 질리도록 혹은 잘리도록.

금단의 대가를 치르고 있다. 태초의 악은 금단의 열매를 탐한 탓에 수치를 배웠다던데 내게 마지막 남은 악은 금단을 탐한 덕에 수치를 잊고 산다. 땀을 뻘뻘 흘리며 더운 숨을 뱉는 몸뚱이를 옆에 두고 벌벌 떨고 있다. 이 명은 곧 비명이 된다.

여름에도 두꺼운 솜이불 하나를 구석에 두고 산다. 무게에 짓눌려야만 사는 생이다. 뚝, 뚝……. 식은땀이 흐른 자리가 차게 식으면 또 한 번 몸이 식는다. 사실은 피가 식어가고 있는 것이다. 열대야는 영영 오지 않는다. 계절 하나를 통으로 상실한 셈이다. 불 좀 꺼 줘. 창문 좀 닫아 줘. 덜덜, 소음을 내는 저걸 제발 망가트려 줘. 내가 잃은 게 아니라 버린 거라고 해 줘. 손끝을 잘라 줘. 숨 좀 나눠 줘. …… 점점 여름이 길어지니까, 나는 두 번의 겨울을 나도록 태어난 털 없는 짐승.

그러니까 더운 나라로, 더운 나라로, 더운 나라를…… 찾다 보면 남극이야. 체온이 같아지면 더워지는 거야. 땀이 마를 일이 없게 두는 거야. 남극으로 가자. 땅에 묻히고도 썩지 못하는 꼴을 보느니 동사하여 썩지 않았다는 핑계를 대도록. 더운 나라로, 남극으로, 끝으로. …… 오지 않을 열대야가, 지금이 밤이니까 …… 그래서 그때 내가 휘둘렀던 …… 가로로 가른 것들이 울컥, 울컥, …… 춥, 지 않느냐고 물을 때 …… 경멸을 …… 얼음처럼 날카로운 더듬이를 가진 벌레들이 …… 베트남의 무더위 말이야, 그때 내가 땀을 …… 땀이, 땀, 같은 물을 쏟으면서 ……

씨발죽을거같아죽을거같아죽고싶지않아추워죽을거같아입김이나오는거같아떨리지않는데떨고있어맥박이멋대로뛰었다가뛰었다가씨발씨발죽을거같아웃기지도않은데웃음이나죽을거같아죽을거같아나는이걸어떻게버티고너는이런날어떻게버티지죽을거같아죽을거같아죽고싶지않아죽을거같아죽을거같아……

한기가몰려온다몰려오는것들은죄다나를죽이겠다고죽을거같아죽을거같, 아. 내가또멀쩡한정신으로도.

…… 미안. 약속 지키고 있는데 왜 그런 얼굴이야. 미안. 속 문드러지게 하는 쪽으로는 타고난 놈인 거 알잖아. 미안. 난 이제 끊지도 줄이지도 놓지도 못해. 미안. 내 목숨 갉아먹는 거 맞아. 미안. 근데 아니라고 착각하는 거야. 미안. 이건 거짓말 아니라서. 미안. …… 미안.

차라리 내가 취하거나 쩔어있기를 바라게 만드는 것도 내가 죽을 걸 알면서도 죽을 짓을 하라고 말하게 만드는 것도 그러면서도 속이고 있는 거라고 속이는 것도 내가 하루를 견딘 것도 비명을 듣는 것도 눈을 제때 감지 못하는 것도 벼랑 끝으로 떠미는 것도 사실은 다 내 탓인 것도

…… 싫다고 좆같다고 입술을 깨물고 지랄을 떨던 건 죄다 버렸는데 찢어버리겠다던 미안은 버리지를 못했다. 제정신이라서. 미치도록 제정신이라서. 제정신일 때 제일 미친놈이라서. 미안. 제정신이라서. 미안. 제정신이라서. 미안. 제정신이고 싶어서.

미안.
미안.
미안.
미안.
미안.
미안.

…… 어, 디에, 나를 두고 어 디로가 서 보이지 를않 고, …… 악몽인, 옆자
리를더듬어도악몽인, …… 드 디어 사람새끼시 능을하 기시작한, 아니면 같
이마 마망가질까 체 온은같 아진다던데 …… 근데 지금 어디에 이, 이있,
있……

어디, 어디, 어디, 어디, 어디…… …… 대답, 을, 해야…….

씨이발진짜어디 왜내가 야어딘데미안해미안하다 사람
고해서그래?미안하다고안할 되는
게미안해어딘지 꼴은
만얘기해그게싫으면내이불어 못보겠
디에뙜는지만이라 어서
도얘기해아니그냥와 그러는
서얘기해미안해 거지
근데진짜어 짐승
디야?어디?어디?응?어 이
딘데어디냐고 되라고

좀 좋았구나 싶으면 꼭. 이게 천성이고 이게 습성이야. 죽을 자리, 죽을 방법을 찾지 않으면…… 살아있다는 걸 느낄 수가 없어. 질식해야 사는 거야. 이게 사는 게, 사는 걸까.

알았어, 응, 그래. 내게 몰락하여 수몰하는 낙원 따위를 찾으면서도 나는 도망이 치고 싶고 살고 싶었다가 죽고 싶었다가 죽어야 된다고 생각했다가 삶에 대한 후회라는 건 결국 살고 싶다는 뜻이라고 썼다 지웠다 그 위에 줄을 북북 긋는 것까지……. 나는 낙원에서부터 도망친 거야, 결국. 죽고 사는 일이 뭐가 그렇게 어렵고 복잡하느냐고…… 어차피 목숨은 하나인데, 그 하나를 버리거나 혹은 하나만 남기면 디는 일인데…… 뭐가 그렇게 복잡하느냐고…… 호의호식하고 싶거나 혹은 호상이 되고 싶거나, 그래서 그래…… 대충 살고 대충 죽고 싶은, 어? 그럼 나는 지금…….

오늘 내가 바다를 보여 줬던가. 길고 넓게 퍼진 바다를 보여 줬던가. …… 그랬다면 그건 아마 내가 또 한 겹 벗어낸 허물을 펼친 자리일 거야. 눈에 띄어서는 안 되는 주제에 빛을 받으면 쓸데없이 빛나는, 그게 마치 산란처럼 보이는, 손 갓을 만들게 하는 빛이 그렇게 만드는…… 갓 벗어낸 허물.

탈피한 것은 가장 색이 아름답다고 했었나. 실은 가장 추악한 거야. 추악한 걸 아름답게 보이도록 만드는 거야. 교란하는 거야. 빠져 죽고 싶게 만드는 거야.

······ 나는 추악한 걸 가장 그럴싸하게 포장하는 재주가 있어.

그건 내 껍데기야. 나는 또 탈피를 거듭······, 근데 한 번도 궁금한 적 없었지. 살을 한 겹, 한 겹 벗겨내면 언젠가 소멸하지 않을까······ 내게 묻지 않잖아. 묻지 않을 거잖아. 그래, 계속 그렇게 바다인 척을 하게 돼. 다시 한 번 빛이 산란하게, 나는 또 가장 말랐을 때 또 한 번의 탈피를.

바다를 넓히자. 지평선을 더 길게 잇자. 실은 만나지 못하는 자리니까. ······ ······ 이게 사는 게, 사는 건가. 생을 끝내지 못해 비겁하게 탈피나 거듭하며 사는, 사는 건가. 언젠가 내가 벗어낸 허물이 탯줄처럼 목을 조를 거야. 그때가 되면 살았다고 해, 꼭. 살았다고.

Dù vậy em vẫn xuất hiện trong giấc mơ của anh.

3 고해苦海도 바다인가

아비를 조롱하며 어미 순종하기를 싫어하는 자의 눈은 골짜기의 까마귀에게 쪼이고 독수리 새끼에게 먹히리라. (잠언 30:17)

추방당한 뱀은 더는 신을 아버지라 부르짖지 않는데도.

눈이 멀어 세상이 온통 암흑이라면 실은 내내 잠들어 있었다고 할 수 있을까. 불면을 모포처럼 두르고 어깨를 떨던 여린 자식이 팽이잠을 자고 있다. 아니, 잠들지 못했다. 아니, 초침이 나를 재우려 들고 있다. 틱, 탁, 틱, 탁, 틱, 탁, 탁, 탁, 탁······.

악몽이 잦았다. 주인이 누구인지도 모르는 악몽. 덜덜 떨리는 손으로 제 머리를 깨트리면 끝날 것이라 믿게 만드는 악몽. 아버지, 신은 죽었습니까. 신은 죽었습니다. 그럼 아버지는 죽은 겁니까. 아버지는 죽었습니다. 이것은 조롱과 경멸, 불순응에 관한 이야기가 아니다.

악몽을 딛고 서 있다는 착각에 쉽게 빠진다. 생이 거기서부터 시작됐다는 것을 부정하기 위해, 그러나 여전히 뿌리를 박고 있으므로. 밑동이 두꺼운 나무로 자란다. 자라고 있으나 싹을 틔우지 않는다. 그림자 위에 그늘을 드리우는 것은 불필요한 소모에 불과하다. 싹을 틔우지 않, 을, 싹을······

틱, 탁, 틱, 탁, 탁, 탁, 탁, 탁, 탁, 탁······.

꿈이 현실을 조른다. 목을 조르듯 조르거나 보채듯이 조르거나. 선택이 몫은 미루기로 한다. 유쾌한 악몽이 목덜미를 타고 내려와 어깨를 두드리고 등허리를 쓸어내린다. 안식을, 안식이, 악몽이, 그러니까 어쩔 수 없는 안도를.

부정父情을 부정否定하는 일이 정말 부정不正한 일입니까 사실은 부정함으로서 존재를 인식하고 인식하고 인식하고…… 부정조차 부르짖음이 되어야하는 것 아닙니까 누구보다 간절한 부르짖음이 아닙니까 울부짖지 않아 대답을 주시지 않는 것이라면 차라리 성대를 뽑으셨어야 하는 것 아닙니까 그러니 대답을 주셔야 하는 것 아닙니까 불행을 꿈꾸는 것이 제 소관이라면 악몽 역시 당신의 소관 아닙니까 선악을 구분하지 못하는 것은 무지가 아닙니까 무지한 것만을 사랑하시느냐 물었습니다 무지하지 않아 당신의 자식이 아니라면 눈이 파먹히게 두지도 말았어야 하는 것 아닙니까

보세요, 아버지…. 지금도 저는 온갖 부정을 달아 당신을 찾고 있어요…….이게 고해가 아니면 대체 뭐예요? 잘 살고 싶었어요. 이제는 꿈도 꾸지 못해요. 남의 숨을 갈취하고, 남의 악몽에 기생하지 않으면 살지 못하는 삶이에요. 꿈이 없는 삶을 살고 싶었던 게 아니에요. 그러니까 좀 보세요. 들으셨잖아요, 들으셨잖아요, 들으셨잖아요. 외면도 답이 된다는 건 저를 맹신하시는 거예요.

…….
깼어? 지금 시간이…… 응. 마저 자. 무슨 꿈이었는데. …… 그래. 또 악몽이었겠네. 손은 왜? 그래, 다시 잘 수 있을 거 같으면 그렇게 해. 응, 잤으면 좋겠어. 너를 땀에 흠뻑 젖어 깨게 만드는 악몽을 이어서 꿨으면 좋겠어. 그렇게 하루 더 내가 연명했으면 좋겠어.

반은 맞고 반은 틀린 얘기야. 니가 불행할 때 내가 행복한 이야기는 아닌데, 니가 불안할 때 내가 안도하는 이야기야. 그러니까 반만 맞은 거야. 우리가 반만 맞는 것처럼. …… 아직도 니가 나를 위한, 나로 인한 악몽을 꾼다는 게, 잠을 겁내는 게 얼마나 나를 기쁘게 하는데.

……. 아 그러니까 이게 다 이 모든 게 다 당신의 대답이었다는 얘기가 하고 싶으신 겁니까 부정함으로서 끝도 없이 인식하게 만들고 끝장을 내고 싶었다가도 연명을 하고 싶게 만드는 이 불온한 고해를 쉬지 말라는 것이 당신의 답이었던 겁니까 그런 거네요 그런 거였네 그런 거였지 나를 당신으로부터 가장 가까운 자리에 두고 그늘이자 어둠에 숨어 산다고 착각하게 만드는 것이 내게 주는 형벌이었던 거지 사실 멀쩡하게 눈을 뜨고 있는데 눈이 멀었다고 믿게 만드는 것이 그래서 남몰래 고해告解를 뱉으며 내 가장 추악하고 추잡하고 역겨운 낯을 보게 만드려는 거였지 맞지

신의 자식은 또 다른 신으로 자라는 것도 모르고.
그렇게 자란 작은 신이 여럿이라
유일신이 아닌 다신을 숭배하게 되는 것도 모르고.

당신의 벌이 나를 악신으로 자라게 하는 것도 모르고.
뱀이 구렁이가 되고 구렁이가 악을 묵혀 입에 물고 당신을 끌어내리겠다,
객기를 부릴 것도 모르고.

고해告解를 바라신다면 기꺼이,
고해苦海에 빠져 죽어드리겠습니다.

고해도 바다인 거죠, 아버지.
사랑하지 않으셨으니 절대 거두지 마세요.

the instinct of the coffee is temptation
strong aroma is sweeter than wine
soft taste is more rapurous than kiss

black as the devil
hot as hell
pure as an angel
sweet as love

커피는 악마의 키스라며.
666. 오늘도 사랑, 해. 아니. 사랑하라고.

네 상상에 한계가 있을까. 난 니 상상을 망치지 않는 것으로 널 망치고 있어. 늦은 밤, 내게 전화해. 그냥 지나가는 길이였다고 얘기해. 네 머릿속엔 뭔가 다른 생각이 있잖아. 그때만큼은 네 거야. 아침에 네가 밤새 뱉은 말은 기억도 못 하면서 붉어질 얼굴을, 난 좋아해. 쉽게 잠들지 마. 내게 새벽은 길다는 걸 알잖아. 넌 가장 간절할 때, 아랫입술을 깨물고 혀끝으로 그 자리를 훑어 갈무리하는 버릇이 있다는 걸 내가 잘 아는 것처럼. 그렇지? 아아. 지금도……. 간절해? 며칠 전에도, 그저께도 수화기 너머로 들었던 목소리는 잊어. 넌 망가짐엔 한계가 없다고 믿었겠지만… 그래, 니가 만난 뻔하디 흔한 남자들은 니가 너무 소중해서 머리칼 하나 제대로 건드리지도 못했겠지만… 내 앞에서 넌 끝없이 울게 될 거야.

아니, 앞이 아니라 아래 혹은 위에서.

혹시 방금 흑, 숨을 참지 않았어? 아니면 입가를 손으로 가리진 않았고? 말 몇 마디에 쉽게 황홀경에 도달하는 너 하나쯤, 내가 어떻게 못할까. 난 니가 너무 소중해서 나로 인해 무너지고 나로 인해 세워지길 바란다는 독 같은 거짓말로 널 망가지게 할 수 있는 사람이라는 걸, 넌 알지. 그럼 넌 공주가 되겠다, 그렇지. 독이 든 걸 알면서도 사과를 베어 무는……. 다만 왕자를 기다리지는 않는. 왕자가 무슨 소용이겠어. 곱게 자란 놈들은 나처럼 짐승 같지 않을 텐데. 니가 목덜미를 물릴 때, 가장 듣기 좋은 소리를 낼 거라는 생각조차 못 할 텐데. 아니, 엄두나 낼 수 있을까.

삶은 동화 같지도, 만화 같지도 않겠지만 그래도 원한다면… 그래, 그깟 공
주. 실컷 해. 헤지다 못해 너절해진 순결로 다시는 은식기를 들지 못하게
되는 삶이라도,

니가 원한다면.
…… 니가 원한다면.

아. 근데 내 사랑은 거기 없어. 알지?
하긴, 아니까 이렇게 젖은 얼굴로 또 날 올려다보는 거겠지….

아. 아침이네. 종일 내 생각을 하게 되겠다, 넌.
상상했잖아.

좁은 침대,
삐걱거리는 소리,
맞닿은 살,
뜨거운 숨,
벌어지는……
…… 벌어지는,

어디까지 상상했어? 밤까지 잘 버텨. 그래야 또 실컷 무너지지.

예, 지금 도착해서 보고는 있는데. 적당히 싸고 쓸만한 건물 좀 찾으라고 했더니 이건 뭐…. 됐습니다, 일 더 늦어지면 손가락 빨 시간만 길어지는데. 안이 중요하지, 겉이 중요한가. 대충 사람 불러서 외벽 칠하고 그럴싸하게 꾸며만 두면 되겠네. 사람은 알아보셨고? 하… 이러라고 피 같은 돈 넘기면서 처리를 맡긴 게 아닌데. 아시죠. 제가 멍청한 건 어떻게든 참고 넘기겠는데… 시키는 것도 제대로 못 하는 건 좀. 그러니까요. 그러니까 어떻게든 하셔야죠. 박 사장님 꼴을 보고도, 이게……. 설마 그 꼴을 보고도 다른 주머니를 차신 건 아니실 거고. 망해가는 공장까지 다시 돌리게 해 드렸으면 정신 똑바로 차리셔야지. 안 그래요? 이러다 일 밀리고 틀어지면 그깟 공장이 문제가 아니라고. 내 돈 가져다 박았잖아. 져야 할 책임을 생각하면 지금 그렇게 사무실에 앉아서 여유롭게 내 전화를 받을 게 아니라…… 쯧, 영 맘에 안 드네.

허, 이건 또 뭐야. 여기서 애들 장기 떼다 팔았나 본데. 딱 봐도 씨발, 냄새부터가 썩은내가 나는데. …… 황산까지? 속일 사람을 속이셔야지. 사장님, 이 건물 어떻게 구하셨어요? …… 아, 여러모로 참. 사람 불러서 외벽 칠하기 전에 이것부터 좀 정리하세요. 명색이 그래도 쉼터를 차리겠다는데 아무리 그래도 이 꼬라지를 하고서는, 쓰읍…. 기간 넉넉히 안 드립니다. 정리 다 되면 내부 공사도 좀 하시고. 이런 것까지 하나하나 다 얘기해 줘야 하나, 내가? 방 몇 개 따로 빼서 싸구려 침대라도 좀 넣어 놓고… 보기 좋게 기도니 뭐니 좀 하게, 응?

아시잖아요. 교단처럼 대충 십자가 박힌 걸로다가 하나 세워 놓고. 적당히 밥 처먹을 공간 하나 빼놓고…. 아니면 어디 쉼터라도 하루 다녀와 보시든 가. 이거 하나 제대로 할 줄 모르는 사람이 그간 어떻게 벌어 먹고사셨나. 하… 이번엔 좀 제대로 합시다, 우리. 저나 두익이 독대하고 싶으신 건 아 니실 거고. …… 아니면 사장님도 요즘 기도 같은 데에 취미 붙이셨나. …… 그러셔야지. 그럼 적당히 싸게 먹히는 선에서… 예, 부탁 좀 드립니 다, 좀. 제발, 좀. 가뜩이나 요즘 머리가 아파서 죽겠는데 언제까지 제가…. 그럼 이만 끊…

아, 기도할 놈. 그건 따로 안 구하셔도 되고. 멍청한 놈 들이면 안에서 문 제가 터지고 그렇다고 지나치게 똑똑한 놈을 들이면 밖에서 문제가 터져 요. …… 독실한 놈? 그건 내가 좀 문제가 생길 거 같은데. 어차피 먹이고 재워서 갖다 팔 놈들한테 기도가 뭐 얼마나 먹힌다고. 제가 알아서 합니다. 그러니까 괜히 쓸데없는 일에 고민, 돈 쏟지 마세요. 씨이발… 내가 한다 고. 응? 이것도 꼴에 또 꼬박꼬박 사장 대우해 주려니까 귀찮게……. 내가 계획해서 틀어진 일은 딱 한 번이면 충분해. 계속 엇나가게 굴 거면 지금 당장 당신 모가지 따고 다른 놈 찾아도 된다고. 왜 인간들은 이렇게 눈치 가 없지? 눈치가 없으면 배움이라도 좀 빨라야 할 텐데. 내가 지금 참아 주고 있잖아. 당신 말고 다른 놈 배때기 쑤셔진 거, 보고 들었으면 멍청한 짓도, 귀찮은 짓도 적당히 해야지. 대충 천국 갑시다 어쩌고 저쩌고. 이해 하지 못할 말이 오히려 기도로 잘 먹힌다고.

129

우매한 우리가 신의 뜻을 이해하지 못해서, 그의 사랑이 넘치는 것을 몸소 느끼지 못해서……. 그런 개소리는 내 전문이니까 엄한 일에 내 돈 부을 생각하지 말고, 시키는 거나 잘해. 아시겠어요? 응? 아시겠느냐고. 알았으면 라이터 불붙이는 소리 그만 내고 밖으로 처나가서 일을 해, 씹….

날도 더운데 참…… 영 마음에 안 드네.
…….

…… 어, 두익. 아니. 좀 걸릴 거 같은데. 그건 아니고… 들릴 곳이 한 군데 생겨서. 그러니까 뭐 하나만 좀 하자, 너. …… 사장, …… 주소가, …… …… 어, 돈만 다시, …… 아냐, 아예 숨통을 …… …… 응. 그래. 그리고 나올 때 기도 한 번 해 주고 와라. 뭐 별거 있냐. 천국 가세요, Amen.

이렇게 쉬운 걸, 씨발.

근데 말이야…….
살려 주세요, 살려 주세요.
이것도 기도 아닌가?

…… 아무래도 기도가 끝없이 이어지는 곳이 되겠네. 역시 종교 사업이 맞다니까.

......

용서는 안 하실 거죠, 아버지. 그래도 고해합니다.
제 죄를 당신의 발치에 쌓다 보면 언젠가
당신의 시야를 가리는 벽이 될 테니…… 오늘도 절대 거두지 마세요.
절대 사랑하지 마세요. 사랑받지 않겠습니다, Amen.

여호와 하나님께서 지으신 들짐승 중에 뱀이 제일 간교하더라. 그 뱀이 여자에게 이르되 너희가 결코 죽지 아니하리라. 너희가 그것을 먹는 날에는 너희 눈이 밝아 하나님과 같이 되어 선악을 알 줄을 하나님이 아심이니라.

그가 독사의 독을 빨며 뱀의 혀가 그를 죽일 것이라. 그들의 독은 뱀의 독과 같고, 그들은 자기의 귀를 막는 귀머거리 독사 같나니. 그들이 자기들의 혀를 뱀처럼 날카롭게 하였으며, 그들의 입술 아래에는 독사의 독이 있나이다.

사람의 죄악이 세상에 관영함과 그 마음의 모든 계획이 항상 악할 뿐임을 보시고 범죄치 아니하는 사람이 없사오니…. 내가 죄악 중에 출생하였음이여 모친이 죄 중에 나를 잉태하였나이다. 선을 행하고 죄를 범치 아니하는 의인은 세상에 아주 없느니라.

…… 무엇보다도 뜨겁게 서로 사랑할지니 사랑은 허다한 죄를 덮느니라.

내가 그들로 고해를 지나게 하며……
…… 다 마르겠고, …… 낮아지겠고……
…… 없어지리라. 죄를 덮느니, 라.
죄를 덮, 느니라.
죄, 를… 덮느니라.

물에 빠진 것 중 꼿꼿하게 허리를 세우고 선 것들은 산 사람들을 잡아먹고 산다는데, 머리부터 빠져 죽은 것들이 보는 십자가는 뒤집힌 것이 분명할 테니 그들이 뱉는 기도는 사실 닿지도 않을 것임에.

내게 불경, 불순을 논할 것도 없어.
제일 간교하시다잖아.

감히 사랑하셔서 죽은 것이 아니라
쉽게 사랑하지 않으셔서 죽이신 것이라.
생에 가장 간절하지 않은 것만 들으신다고.

절대 거두지 마시고,
용서하지 마시고,
사랑하지 마시고……
사랑받지 않겠다는, …….

덕분에 안도합니다, 제가. 신을 팔아 빌어먹는 삶이 썩어 천국에 간다는 형벌은 면하게 생긴 덕분에, 빌어먹을 덕분에, 덕분에, 덕분에……. 익사하고도 외롭지 않으리라 믿어 의심치 않습니다.

불신으로 믿음을 증명하게 하세요. 제 낙은 오로지 쾌락에만 두도록.

자극. 자극. 자극. 자극. 자극. 자극. 자극. 자극. 불충분한, 자극. 자극. 자극. 자극. 자극. 자극. 자극. 자극. 불충분한, 불충분한, 충만하지 않은 자극. 자극. 자극. 자극. 자극. 자극. 자극. 자극. 자극. 자극. 자극. 자극. 자극. 자극. 자극. 자극. 자극. 자극. 자극. ……

규범으로부터일탈된모든것비상식적인비정상적인만족하지못하는스스로에대한처벌도실망도혐오도아닌그저어떠한자극을바라는그러니까찌르고찌르고찔림으로서고점을찾고자하는처절함까지도내게는사실불충분한

자극. 번영하게 돼. 혈관이 하나, 둘, 셋, 넷…… 툭투둑툭툭.

이것좀보라지찌르면꼴에사람이라고시뻘건피가맺히는이우스운꼴을보라지이게어떻게자극이아닐수가있어긋고찢고매달리는것만wkgo라고믿지내가하는건gkreo야자극자극자극자극자극자극신경질적인천성을버리지못해음흉한굴곡위를채우고싶은자극자극자극자극…… 이제 다시 다섯, 여섯, 일곱. 투둑툭투둑……

눈 떠야지. 아침이잖아. 착하지, 응.

너는 너무 무해하고 무방비해. 니가 깊은 잠에 빠졌을 때, 색색거리는 고른 숨소리가 내 잠을 깨울 때, 네 목을 조르고 싶은 충동이 나를 담금질할 때, 하얀 목덜미가 그 충동을 부추길 때, 몇 번이고 그 위를 내 두꺼운 손으로 덮을 때… 사실은 니가 알면서도 눈을 감고 있는 게 아닐까 싶을 정도로.

내게 무해는 유독이야. 나는 독이 있는 것에 욕망을 가져. 입안에 고인 것들이 죄다 그래. …… 날카로운 돌기에 걸려 넘어지는 것들이야.

그럼 이제 혀가 잘릴까?

뭉뚱그린 불안과 불신…. 시효가 지난 낱말은 그저 찌꺼기일 뿐이야. 그러니까…… 나를 잃는 일을 상상해 본 적이 있느냐고. 탈피를 거듭하며 점점 얇아지던 껍데기가 모두 벗겨질 때. 정말 내가 온전할 거라고 생각했다면 말이야, …… 좀 더 연습을 해야 할 거야.

기약된 상실을.

경멸해? 그래, 경멸해.
이젠 매일 맞는 아침마저 지옥이겠지.

나는 타인의 죽음을 팔아 며칠의 삶을 연명하는 악성 가득한 악의 가득한 노오란 눈을 빛내는 죽겠다는 으르렁 신음을 토하는 찐득하고 시커먼 타르 같은 욕설을 뱉는 절대 기생할 수 없는 불면에 입맞춤을 선사하는 괴물 괴물 괴물 괴물 괴물 괴물 괴물 괴물 괴이한 삶이 기괴한 비틀림이

이게, 나야

넌 내가 무슨 반사회적 인격 장애라도 가진 줄 알지 내가 마치 타인의 감정을 공감하지 못하고 이해하지 못하는 소시오패스라도 되는 것처럼 호기심과 흥미 가득한 시선으로 날 보잖아 그리고 그게 날 매력적으로 보이게 만든다고 믿지 그래서 내가 늘 이런 괴물이길 바라잖아 내게 목줄과 수갑을 채우고 입마개를 씌워 마치 너만이 통제할 수 있을 거라는 기대도 하지 아니야 아니야 아니야 아니야 아니야 나는 괴물이야 누구보다 고통을 이해하는 고통을 간직한 괴물 괴물 괴물이야 내가 왜 이렇게 됐을 거 같아 내가 왜 이렇게 사는 거 같아 나는 익숙해진 거야

아니야 아니 아니 아니 아니 아니 아니나는 난 나는 정말로 태초의 나는 절대로 내가 그렇게 태어났다니 그런 불행이 그런 최악이 아니야 아니 아니야 아니 제발 그저 익숙해진 거라고 사는 삶이 삶이 사는 게 나를 여기까지 내몰았을 뿐이라고 어쩔 수 없이 어쩔 수 없는 괴물이 됐을 뿐이라고 제발 제발 제발 제발

… 어때, 이제 좀 괴로워하는 거 같아? 이런 무너짐을 끌어안고 처연함에 빠져 자위하고 싶었던 거면서. 만족해? 나는 무엇에도 구애받지 않는 거야. 그러니까 쉽게 또 괴물이 되고, 괴물이 되고, 괴물이 되고…. 다음엔 또 뭐가 있을지 궁금하지 않아? 자, 내 입안으로 들어와.

아프지 않게 물어 줄게.

......
......
......

니가 내 혀 위를 구를 때,
죽고 싶다.

아프지 않게 물겠다는 말을 했던 과거의 내가,
죽고 싶다고 악을 쓰니 나는 나를 또 죽여,
내가 뱉은 말까지 죽여야지.

아… 또 기대했어? 넌 참 한결같이 멍청해서……

이것마저 황홀했지? 넌 멍청한데 뻔하기까지 해.

제가 요즘 좀 허허실실, 웃는 낯을 자주 보여 드렸죠. 그렇다고 그렇게 안 일하게 나오시면 참 곤란한데. 사익을 우선으로 두는 천성이 무른 태를 가장한다고 사라지겠느냐고. 살려 달라는 말은 이쪽에 하셔야지. 아. 차라리 기도祈禱하지 못하도록 기도氣道를 막아 버릴까…

사람이 참 그래. 우습고 간사하고 참… 순진하지. 보이는 게 다가 아니라고 의심하다가도 자주 보고 눈에 익으면 그게 다라고 또 쉽게 믿어. 그러니까 내 말은, 내가 괜찮은 놈인 척 예의를 차리는 것처럼 보인다고 해서 정말 그런 놈이겠느냐고. 지나치게 친근하고 친밀하지 맙시다, 예? 적당히 봐주고 넘겨주면 정도를 몰라. 가장이라지만 선의를 보이고 있으면 선이라는 게 있어야 하는데…. 아, 또 이렇게 돌려서 말하면 무슨 뜻인지 이해를 못 하시나. 대체 어떻게 먹고 사시는 건지 모르겠네.

머릿속에서 어떤 놈으로 상상을 하시든 그건 그쪽 상상이지, 내 현실이 아니라고. 멋대로 가늠해서 만든 이미지를 왜 나한테 덧씌우려고 드냐고. 내가 입맛대로 굴어 줄 놈으로 보여? 아니면 내가 정말 우습고 만만하기라도 한가.

내가 어디까지 참고 있는 건지도 모르고, 왜 참고 있는 건지도 모르면…… 적당히 알아서 똑똑하게 구시란 소립니다. 이 정도는 좀 이해를 하셔야지, 안 그래요? 멋대로 가늠하고 함부로 재단을 하실 게 아니라.

내가 어느 자리에 처박히든 어느 자리를 원하든…. 나도 나를 가엾게 여기지 않고, 누구도 나를 어여삐 여기지 않는데. 이건 그냥 비즈니스예요, 사장님. 비즈니스라고. 누굴 살려서 천국에 가거나 누굴 죽이고 지옥에 가는 그런 얘기가 아니라고. 망상에도 정도가 있으셔야지.

지독한, 난도질이 낭자한 악의 같은 걸 대면하고 싶으신 건 아니실 테고.

멀쩡히 잘살고 있는 사람을 가지고 말이야……. 어떻게 살든 내 안락이, 내 안식이 있는 곳이 내 자리란 뜻이니까 멋대로 행복이니 뭐니. 혼자 속 좋은 소리 좀 뱉지 마세요. 구역질로 속을 버리는 일을 내가 대체 얼마나 더 겪어야….

잊 었 나   싶 어 서   다 시   얘 기 하 는 데 ,   … …   강 해 상 입 니 다 .

나를 대할 땐, 내 이름이 어디에 달렸을 때 가장 익숙하고 자연스러운지를 생각해야 할 거야. 대단한 수식어를 붙이지 않아도 내 이름이 주는 의미에 대해서도. 강해상입니다, 이거 말고 나를 설명할 가장 적절한 말이 있다고 생각한다면……

오판하고 계시는 겁니다.
구원 따위를 바랐겠느냐고, 설마.

딱 여기까지. 이 정도만. 이게 마지노선이고, 내가 베푸는 최대의 자비야. 온정 아니고 자비. 선을 넘으면 다음번부터는 살려 달라는 기도를 내게 빌어야 할 거라고.

구구절절한 불행사 읊으며 포인트 짚는 고해성사를 듣는 취미는 없으니, 서로 불쾌한 독대를 하게 되는 불상사는 좀 방지합시다.

내 인생의 불상사는 강해상이라는 이름을 달고 태어난 거, 그거 하나로 그쳐야만 하니까. 무른 건 당신 하나면 충분하고.

넌 내가 …… 사람으로 보여?
제발. 제발. 제발. 제발. 제발.
감히 실망을 기대하고 있다고 하잖아, 늘.
…… 감히 실망하겠다고. 제발.
멋대로 좀 실망하게, 뒈.

옛날얘기.

서두를 끊으려면 나를 스쳐 간 사람들을 먼저 떠올려야 한다. 기억도 나지 않는 이름들이나 얼굴들. …… 당장 어제의 일도 가물가물한 놈한테는 좀 가혹한 일이지. 비슷한 듯 다른 얼굴 몇 개가 눈앞에서 겹쳐진다. 저건 괴물인가. 아니면 내 눈이 또 한 번 돌아 버린 것인가.

내가 죽였거나 혹은 죽게 만들었던 사람에 관한 이야기는 지리멸렬하다. 유구한 역사를 간직하지 못한 것들은 쉽게 빛이 바래는 법이라. 어제 혹은 그제 혹은 사흘 전, 일주일 전, 일 년……. 시간을 거스르는 얘기. 기억할 수 있는 순간들에 온전히 남은 것들을 떠올린다. 그러니까, 그러니까……

일머리가 제법 된다며 옆 혹은 앞을 자처하는 놈들은 많았다. 나아가서는 대가리 위에 자리를 잡으려는 놈들도.입은 살았는데 대가리는 죽었고, 눈은 무거운데 몸은 가벼운. …… 그게 몇 년 전이었더라. 아니, 그 전에 지금 내 기억이 온전하기는 한 건가.

떠밀리듯 도망을 친 낯선 타국에서…… 비가 예고도 없이 쏟아지고, 비만큼 쏟아지는 경계 가득한 시선이…… 몫을 나눌 때는 목을 걸어야만…… …… 이해가 어려운 언, 어, 들, 과. …… 잦은 도망, 사슴처럼, 저놈을 잡아야 돈이, 약이, …… 등을 기대지 못하는, 간극이 좀처럼, ……

사람을 줄이면 삶이 된다. 그럼 사람을 죽이면, 삶이 죽는가?
대가리 하나 줄어서 좋지?

사람이 죽어도 삶은 죽지 않는다.
그럼 이제 다시 질문.
삶이 죽지 않았다고 유구해질까.

일을 끝내기 전에는, 멀쩡한 정신으로, 그러니까 내가 정신이 온전할 때…… …… 그래도 내가 오늘 기분이 썩 좋거든, 이게 당신 몫이고…… 몫을 나눌 때는 목을 걸어야 한다고 했, 지? 저놈은 궂은일을, 궂은, 궂…… 대가리를 줄이는 법을 잘 배워, 그래, 그러니까 내가 줄이지 못하는…… 내가 줄이지 않는, 줄이지 못하는 대가리가 하나.

언제, 어디서, 왜, 어떻게 따위가 중요하지 않은 건 내가 못 배운 놈이라서가 아니라 가장 서두에 두어야 할 얘기가 결국 누구와 무엇을 했느냐이기 때문에.

내가 지금보다 더 혈기가 왕성했을 때…… …… 혼탁해지는 과거를 빨아, 좀 더 괜찮은 것이라 착각을 거듭하면…… …… 내가 무슨 얘기를 하고 있었더라. 그러니까 내, 과거가, 아니, 우리의 지난함이, 아니, 다시…… 다시, 그러니까 내가 지금 왜 이러고 사느냐고 묻는, 질문이 그게 아니었, 던가.

아. 옛날얘기.

듣고 싶은 게 많아도 떠올리고 싶은 것들이 많지가 않아서 문제야. 단편적인 기억이 섞이면 어떤 과거가 언제의 이야기인지를 알 수가 없게 돼. 시간을 따라 온전히 더듬을 잔재가 별로 많지 않거든.

방금 들은 얘기를 되짚어 봐. 뭔가가 깨지고 또 깨지고 또 깨져서…… 불과 몇 분 전의 얘기에도 구멍이 숭숭. 구멍 사이로 빠지는 바람이 또. 무슨 얘기를 사이에 끼우든 말만 되면 그만인 게 되는 거야.

나는 온전한 것들을 망치는 쪽으로는 도가 텄지. …… 덕분에 또 통으로 날린 기억이 하나 더.

…… 흉터가
…… 눈 아래에
…… 있었나?

멸종하고 있습니다.
단어보다 내가 먼저.

근데 말이야, 이 기억의 구멍이 여기서 끝일까?

어. 나야. 건물 공사 들어갔고, 내부 정리도 잘 됐고… 이제 슬슬 일할 준비 좀 하셔야지. 쉴 만큼 쉬었잖아. …… 말했지. 이 나라는 종교 사업엔 함부로 손 못 댄다고. 적당히 드러내. 빛나는 척, 따뜻한 척. 그럼 벌레들은 알아서 꼬일 거니까. 대충 인터넷에도 글 올리고…… . 어, 간절한 놈들은 분명히 있다니까. 간절하지 않아도 멍청하게 요행 바라는 놈들은 안 봐도 뻔하고. 대신 조건만 잘 지켜. 갑자기 세상에서 사라져도 탈 없을 놈으로. 건강에도 이상 없는 놈들로. …… 어차피 죽을 놈들이어도 당분간 살려는 둬야 하니까. 엄하게 병원 데리고 다니다 번거로울 일 만들지 말고. 이해했어? … 그래, 그렇지. 노숙자들은 안 돼. 최소 6개월에서 2년, 공장 돌리는 일에 써야 된다고 했잖아. …… 어엉, 그래. 자료는 보내둘 테니까 알아서 현수막이든 팸플릿이든 뽑아 놓고.

괜찮아. 어차피 당장 들일 것도 아니니까 급할 일도 없고… . 적당히 신앙심 깊고 갱생이니 뭐니 빛 좋은 개살구 같은 소리에 혹할 놈들이면 돼. 기도합니다. 먹여 주고 재워 드립니다. 일자리도 창출해 드립니다. 듣기 좋잖아? 시키는 일만 잘해, 제발. 돈이 굴러 들어오게 해 줄 테니까.

…… …… 멍청한 놈들이 참 있어 보이는 거 좋아해. 안 그래? 겉이 번지르르하면 속도 괜찮은 줄 안다니까. 실은 다 곪아 썩은 걸 감추기 위한 수단에 불과한데도. 어, 대충 아무 업체나 찾아서 맡겨. 싸게 잘 뽑는 곳이면 더 좋고.

제 발로 찾아오지 않고는 못 배기게 해 줘.

......

......

그래, 시작하자고.

진짜 같지?

진짜 같은 건 하등 쓸모가 없음에도.

......

......

네 모든 삶을 내게 바치게 될 것이다, 내가 너의 신이 될 것이다, 네 모든
삶을 뜯어 먹을 것이다, 네 모든 살점을.

딱 한 번만, 한 번, 한…… 오늘이 무슨요일인지며칠인지몇월인지몇년도인지 내가 사실은 뜬눈으로 밤을 지새우다가 눈을 감았다가 자는 소리를 냈다가 않다가말다가않다가말다가않다가말다가 혁혁대는개처럼혀를길게뺐으니까 딱 한 번만 씨발단한시간이라도아니삼십분아니십분 자고싶어서그래…… 하루?아니이틀?아니삼일?아니그사이에잠깐의잠이라도있었나?아니?아니? 불치의불면불안쾌불안정 불이붙은것들은죄다뜨거워나를태우는… 잠이잠을잠같은좆같은, 이런꼴을보겠다고하루를더살아연명하던것이아니었지만 그럼에도눈이썩어퀭한것들이태반이라세상이빙빙돌아내가지금… 꿈을… 꿈…, 내가살아있어살아지고있어살아있어살아지고있어살아있어사라지고있어 사라지고있어사라지고있어사라지고있어사라지고사라지고사라지고사라지고있어사라지고있어사라지고있어살아지고사라지고살아지고사라지고살아지고사라지고살아지고사라지고사라지고사라지고사라지고있,어 이건 병, 이야, 병… 태어나자마자 죽기 시작하는 병 죽음을 앓는 병 죽을 날을 죽을 나를 나는 모르고 모르니까 치료할 수가 없고 들지 않는 약을 들이키고 들었다가 놓았다가 아주 높이 띄웠다가 추락하면 머리부터 깨지거나 목이 부러지거나 혁, 허억, 개처럼 혀를 길게 빼고 상처 위를 핥으면?????

믿기지가 않아 믿어지지가 않아 등을 벽에 기댔나 이젠 비릿한 것조차 느껴지지가 않아 피에 도는 게 피를 돌게 하는 게 피가 피를, 비를, 비극, 이, 비극…… 적인, 지극히 자극의 영역, 악, 아악, 악… !! … 악을, 쓰, 게 끔, 악, 악, 내 꼴을 ㅂ, 보, 보고, 봐, 덜덜덜덜덜달달달달ㄷ ㅏ ㄹ, ……,

요세주아말지리살니아요세주려살
요세마지하서용니아요세주해서용
요세주춰멈터부대기란거을있수을죽에전기죽가내발제
를오혐가오혐를오혐가오혐
느드만게라자를오혐가오혐 어먹아잡을족동는나
발제고시마치서용를서용발제대절

주욱, 죽, 죽어가, 고 있… 지, 이제다 썩어가, 고있는 거지이, 응, 그지, 그
렇지, 흐하하하하학, 학, 하, 가, 가학같은피학과피학같은가학사이에몸을뉘
이, 누, 눕, 눕히…… 흐으, 흑, 눈물이왜자, 꾸… 이, 이이, 익, 이…… 그
만, 그만, 숨이트였다가멎었다가트였다가멎었, 머, 머, 먹을, ……. 잘못했어
요싹싹빌게요오늘이지나면후회조차잇고잘못했다는말조차잇고또기억하나를통
으로잘라내고내가나를잘라내고어쩌면기억하지못할게오늘일지어제일지내일일
지모르지만그래도잘못했어요살고싶다는생각에서꺼내주세요살고싶다는오만을
기만을감히저질렀습니다죽여주세요끔찍하게죽었어야했습니다…… 아니씨발
내가뭘그렇게잘못했지거봐나는좀전의말도뒤집거나나를뒤집거나탈탈털어문드
러질것도없는 속, 소오, 옥, 속이, 으하하, 학, 힉, ……, 흐, 으윽, 씨, 이
발, 살이돌아살고싶다는생각에빠진게뭐가그렇, 게…, 익아, 이, 익, 익사를,
흐, …… …… …… ……

soahemsaorqkrdltkfadmldmlwldladmf경멸해……

생의 모든 절, 망을 털어 언, 는 한 시간 남짓한 자기 혐오, 가 나를 잠재
울 수, 있다는 알량한 믿음…. 네 숨소, 리에 내 숨을 숨, 기고 있어, 나는
이제 내 심장, 이 뛰는 소리가 잘, ……, 들리질 않, 아아, 아….

나를 버리지 말고 가장 마지막의 마지막까지 바닥의 바닥까지 악착같이 견
디고 버티다 묻어 달라고 꼭 그렇게 해 달라고 그렇게 사랑하는 일조차 끔
찍한 일로 만들자고 같이 미치자고 우린 끝까지 죄를 사하지 못할 거라고
사랑마저 벌처럼 여기자고

… 미 안 , 하 다 고 … 말 까 . 너 는 나 를 , … 거 니 까 .

예전엔 비가 오든가 말든가 나가서 작업할 날이 잦았는데.

비에 묻힌다. 비를 묻는다. 비에 젖은 것들을 묻는다. 비가 묻는다. 툭, 투둑, 툭…. 두익이 땅을 판다. 흙을 덮는다. 비가 오다가 말다가 오다가 말다가 오다가 말다가, 내내 내린다. 빗소리를 듣는다. 눈을 깜빡인다. 빗물이 꼭 눈물처럼, 흉터 위를 타고 흐른다. 눈을 또 깜빡인다.

구멍이 나지 않은 기억을 애써 도려내기 위해 땅을 판다. 모서리를 판다. 구석을 판다. 기억을 판다. 가진 것을 판다. 가진 것을 팔아 구멍을 넓힌다.

비가 오겠다 싶은 예감은 늘 적중한다. 베트남의 우기는 길다. 5월부터 10월. 언제나 눅눅한 나라지만 그럼에도 유독 비가 오겠다 싶은 날이 있다. 손만 대면 모든 걸 망치는 놈들은 우산을 쓰지 않는다. 벌써 부러져 대만 남은 우산이 열 개가 넘었다. 또, 우산 하나가 기울어진다.

빗소리를 자장가 삼아 잠에 드는 사람들을 안다. 알았던 적이 있다. 앓았던… 아니, 다시. 알았던 적이, 허, 앓았, 알았던 적이 있다. 토막이 났을 것이다. 그런 낭만은. 우비에 달린 모자를 깊게 뒤집어쓴다.

눈 위에 그림자. 눈 밑에 그림자. 툭, 투둑, 툭, 둑, 뚝.

비가 오면 쉽게 땅이 무너진다. 그 위로 벌레가 드글드글, 속을 갈아먹어 통통하게 배때기가 부른 벌레들은 만족을 모르는 법이다. 비를 맞는다. 비를 맞게 한다. 예민해진 감각은 빗방울을 아리게…. 우비를 새로 사야겠다. 등이 다 터져서 안 입느니만 못하다. 두익이 입을 연다. 전에 없던 일이다.

와작. 와, 그작.

손만 닿으면 뭐든 망가지게 만드는 놈이 하나. 손을 대지 않아 뭐든 말라 비틀어지게 만드는 놈이 하나. 둘이 산다. 지붕 아래에. 그러니 하나는 망가지고, 하나는 말라 비틀어진다. 지붕 아래에. 그러니 비가 오면 다행인 셈으로 쳐야 한다. 지붕 아래로.

두익. 내가 말이지. 자꾸 단어가 끊어져. 간헐적으로. 기침이 터지듯이. 그럼 말이 짧아진다. 혀를 길게 빼면. 단어가 길어질까. 내가 본 것들 중에 혀를. 길게 뺐던 것들은. 죄다 목이 감겨 허공에 매달린 것들. 이었는데. 그들은 그럼 얼마나 짧게. 단어를 끊어. 야만 했을까. 단편적인, 기억. 처럼.

… 새로, …… 겠다. … 터져서 …… 못하다. 두익, …… 다. 전에 없…….

153

흉터. 눈 아래.

…….

하나 말고 두 개를 사야 쓰겠다. 소매 뜯지 마라.
… 손톱 뜯는 애새끼도 아니고.

무덤이 아니더라도 흙은 잘 덮어야 한다. 두익이 땅을 판다. 흙을 덮는다.
비가 오다가 말다가 오다가 말다가 오다가 말다가, 내내 내린다. 빗소리를
듣는다. 눈을 깜빡인다. 빗물이 꼭 눈물처럼, 흉터 위를 타고 흐른다. 물길
을 틔워 준 셈이다. 근데 왜. 어째서. 왜. 어째서. 였더라.

잠깐만. 두익이 땅을 판다. 구덩이 안으로 몸이 자꾸만 가라앉는다. 대가리
끄트머리만 겨우 튀어나왔는데. 그런데 흙을 덮는다. 덮는다? 비가 내내 내
린다. 빗소리를 듣는다. 땅이 무르기를, 바라야겠는데. 흙이 다 무너지기를
바라야겠어. 그렇지. 응, 그럴 거야.

이것만큼은 절대 구멍이 되지 않게. 새 우비를 사러 가자. 구멍을 메꾸게.
함부로 묻혀 젖지 않게.

Nếu bị ướt thì lạnh lắm.

와작. 와작. 와작. 와작. 와작. 와작. 와작. 와작. 와작. 와작. 와작. 와작.
너 말이야. 와작. 와작. 와작. 와작. 와작. 와작. 와작. 와작. 와작. 눈 아래
흉터. 와작. 와작. 와작. 와작. 와작. 와작. 와작. 와작. 언제 생긴 거랬지.
와작. 와작. 와작. 와작. 와작. 와작. 와작. 와작.

…….
왜.
늬, 그거 그만 처먹고 들어가서 자라.
왜.
한국에 들어온 게 벌써 한참 전이다.
왜.
…….
왜.
땅 팔 일 없다고.
그래서.
…… 근데 뭔 놈의 우비를, 비만 오면 그렇게 사 오냐.

와작. 와작. 와작. 와작. 와작. 와작. 와작. 와작. 와작. 와작. 와작. 와작.
와작. 와작. 와작. 와작. 와작. 와작. 와작. 와작. 와작. 와작. 와작. 와작.
와작. 와작. 와작. 와작. 와작. 와작. 와작. 와작. 와작. 와작. 와작. 와작.
와작. 와작. 와작. 와작. 와작. 와작. 와작. 와작. 와작. 와, 그작.

아. 이게 내 구멍이었구나.

비. 들이치지 않게. 창문 좀 닫어. … 젖으면 추워.

엮어도 장편이 되지 못하는 기억들이 있다. 단편의 나열이라고 하기에도 우스운. 어두운 방 안, 벽을 보고 누운 침대 위. 뻑뻑한 눈가를 손등으로 문지른다. 일정한 텀을 두고 색색거리는 숨소리를 듣는다. 같은 꿈을 나눠서 꿀 수 있을까. 끙, 하는 앓는 소리에도 구태여 등을 돌리지 않는다. 낮을 기다리고 있다. 열대야를 끝낼 수 있는, 작열하는 낮을.

쩌-억 하는 소리와 함께 발바닥이 장판에 붙었다 떨어졌다. 매년 기록을 경신하는 더위는 좀처럼 익숙해지지를 않았다. 땀이 송글송글 맺혀 떨어지기 시작했다. 씨발, 날씨가…. 작게 뱉는 혼잣말도 두익은 놓치는 법이 없었다. 그러니까 에어컨을 사자고 안 했냐. 대답을 하지 않는 건 보통 내 쪽이었다. 베트남에서는 에어컨 같은 거 없이도 잘만 살았던 거 같은데. 위태롭게 돌아가는 선풍기를 발끝으로 툭, 쳤다. 달달 거리며 돌아가던 선풍기의 대가리가 바닥으로 떨어졌다. 틀어둔 티브이에서는 때마침 깔깔대며 웃는 소리가 터졌다. 미안하다. 선풍기를 망가트린 건 나였는데 사과는 두익의 몫이었다.

강해상입니다.
…….
아아. 이쪽은 두익이라고 부르면 돼.
…….

둔하게 생겨서는 하는 짓도 영 둔하기 짝이 없네. 눈앞의 남자에 대한 첫 인상은 그걸로 끝이었다. 남자는 말이 없었다. 머리가 좋을 필요도, 성격이 살가울 필요도 없으니 그저 힘만 좋은 놈이면 좋겠다는 내 요구에 지나치게 딱 맞다 싶을 정도로. 오히려 마음에 들지 않는 쪽은 남자를 데려온 기존의 동업자였다. 이유는 다양했다. 일단은 지나치게 말이 많았다. 머리가 나쁘면 눈치라도 빨라야 할 텐데, 그럴 머리마저 없었고. 욕심에 비해 하는 일이 없다는 점도 마음에 들지 않았다. 따박따박 제 몫은 챙기려 드는 주제에 요령만 피우려 드는 부류. 그러나 가장 별로인 부분은 눈빛이 좆같다는 점이었다. 틈을 주면 언제든 내 뒤통수를 치겠다는 뜻을 숨기지 않는 눈빛.

커헉, …… 이 씨이, 발, 새끼가.

그러니 이런 상황은 진작 염두에 뒀어야만 했다. 아니, 염두에 두지 않았던 것은 아니었으니 조금 더 주의를 기울였어야 했다는 표현이 맞겠지. 작업을 끝내고 썩 내키지는 않지만 머릿수대로 돈을 나누고… 그 뒤에는 뭘 어떻게 했더라. 늘상 그렇듯 주사를 꽂았고, 그다음엔… 다음엔. 그래, 방문을 제대로 잠갔어야만 했는데. 목을 조르는 얼굴이 하나였다가 두 개였다가 세 개로 늘어났다. 눈앞에 하얘졌다가 시커멓게,
까맣게, 검게, 붉게…
붉, 게?

159

…….

허억, 헉…….

늬, 그거 하지 마라.

헉, 방금, 뭐라고 했.

하지 말라고, 약. 돈줄 끊긴다.

…… 하.

얼굴에 묻은 피를 소매로 대충 닦는 남자의 목소리에는 고저가 없었다. 마당을 하루에 두 번 판 건 그때가 처음이었다. 나는 죽은 놈의 몫을 남자에게 고스란히 주었고, 남자는 그중의 절반을 내게 주었다. 돈 벌 구실을 만들어 줬다는 이유였다. 둔하게 생겨서는 영리하기 짝이 없네. 그날 이후로 나는 남자를 제대로 두익이라 부르기 시작했다. 하나밖에 없는 침대를 나눠 쓰기 시작한 것도 그 무렵이었다.

미안하다.

미안하다 혹은 고맙다는 말은 어쩌면 두익이 내게서 가장 듣고 싶은 말일지도 몰랐다.

나는 몇 번이나 두익에게 삶을 빚졌으므로.

그럼에도 몇 번이나 내 죽음을 떠맡기고, 종용했으므로.

사람은 생각보다 쉽게 죽어 그럼 돈은 쉽게 벌리는 거야 노잣돈이니 뭐니 하는 건 다 옛말이라고 그렇게 괴로운 표정 지을 필요 없다 우리 같은 놈들이 멀쩡하게 살 수 있을 거라고 기대라도 했냐 뭐든 처음이 어렵지 그다음은 쉬워 정 그렇게 괴로우면 이거 한번 피워 봐라 새끼 너 담배 안 피우는 거야 알지 근데 이건 담배 같은 시시한 게 아니야 너 뗄이라고 들어봤지 그래 인마 뗄 이게 얼마짜리인지 아냐 쓰읍 이게 말이야 길에서 애새끼들이 막 파는 그런 하품이 아니라고 무슨 말인지 알어? 돈도 돈인데 내가 진짜 이거 구한다고 째빠지게 고생했다 그러니까 한 번 피워 봐 이거 하나 딱 피우면 지금 니가 느끼는 감정 진짜 좆도 아무것도 아니라니까 이게 진짜 뽕 간다고 어? 그렇게 미덥지 않은 표정만 짓지 말고 그래 그래 그냥 담배 피운다고 생각하고 깊게 빨어 깊게 옳지…… 이 새끼 완전히 눈이 돌았네 이거 개눈깔 뱀눈깔 개눈깔 뱀눈깔 개눈깔 뱀눈깔 양쪽 눈이 죄다 짐승 새끼 눈인데 애초에 사람 잡아먹고 살 팔자였던 거야 눈을 저렇게 희번덕하게 뜨고는 그러니까 지 낳아준 애미 애비도 잡아먹고 키워준 애미 애비도 잡아먹었지 넷이나 잡아먹고도 만족을 못 해서 또 저러고 있는 거야 저 새끼가 근데도 지는 지가 사람 새끼인 줄 아니까 그게 얼마나 우스워 어어 그래 다 들었어? 새끼 뗄 좋다고 실실 쪼개냐 그럴 정신 있으면 톱질이나 마저 해 가방이 작아서 여기 팔이며 다리가 죄다 밖으로 삐져나온다 또 또 개눈깔 뱀눈깔 개눈깔 뱀눈깔 너 이런 타지에서 거지꼴로 죽어가던 새끼 거둬서 먹이고 재워 준 사람한테 그렇게 눈 좆같이 뜨는 거 아니다 해상아……

…… 너 약 더 필요하지 해상아 그러면 형이 시키는 일 하나만 더 하자 이제 사람도 제법 죽여 봤잖아 돈 필요하다며 약도 주고 돈도 주고 내가 다 가지게 해 주잖아 넌 시키는 일만 잘하면 돼 내가 시키는 것만 잘하면 돼 딴마음만 안 먹으면 돼 딴 주머니만 안 차면 돼 너는 내 칼이야 너는 내 사냥개야 너는 내 도구야 병신 새끼 넌 이제 쓸모가 없다 대가리가 너무 커서 그러니까 죽어야 죽, 죽, 죽, 죽, 죽, 죽,

형. 형은 내가 죽을 줄 알았지?

깜빡.
깜빡.
깜빡.
깜빡.

형광등 아래 흔들리는 몸이 있다. 흔들리는 목이 있다. 혀를 길게 뺀 몸이 있다. 등 뒤에서 노려보던 시선이 날카롭다. 저 얼굴은 …… 을 닮았다. 내가 두고 온 것을 저기에 매달았다. 견뎌야만 한다. 줄이 끊어지지 않도록. 견뎌야만 한다. 고개를 돌리지 않도록. 팔뚝 위를 매만진다. …… 두익아. 엉. 두익아. 왜. 두익아. 흐…. 두익아. 두익, 아. 두익. 내가 앞이 아니라 뒤를 봤더라면, 뭔가 달라졌을까. ……. 왜 대답이 없냐. 두익아. 엉. 두익아. 왜. 두익아. …… 늬, 그거 하지 마라. 명줄 끊긴다.

162

약에 취해도 너는 똑바로 알잖아. … 들렸다. 너 없을 때도.

…….

들린 걸 안 들렸다고 하냐.

…… 뭐라 하던, 내가. 들어나 보자.

적당히 하라거나 또 이러고 있냐는 말.

…….

두익아, 하면 엉, 하는 소리들. 웃기지 않냐.

허, 웃기네. 이건 기뻐해야 하냐, 좆같아 해야 하나.

…….

여간 간만에 좀 웃네, 씹….

가끔 너 옆에 있나 싶어서 혼자 떠들 때도 있었고….

…… 야, 근데. 나는 늬… 꿈에도 안 나왔었는데. 섭하냐.

내가… 어, 뭐. 원망만 안 했으면 됐다. 너 두고 간 일로.

늬… 내가 그날 뒈졌으면, 어땠을 거 같냐.

그랬으면, 그랬어도. 살긴 살았겠지.

…….

…… 가끔 들리는 환청, 보는 환상. 그게 그냥 너구나… 하면서.

너, 믿는다고.

…….

니가 나 안 죽일 거 안다고 했었잖냐.

그러다가 내가 니 죽이면, 어쩔 건데.

어쩔 수 있냐. … 내가 사는 게 좆같아 보여서 죽여 줬나 보다, 하게.

저 캐리어에 든 돈 전부, 혼자서 처먹으려고 죽이는 거면.

내가 안 믿었으면 좋겠냐…. 믿지 말라고 으름장 놓는 것도 아니고, 뭘.

으름장 맞지, 맞아. 나도 나를 못 믿겠다, 해상아.

…… 니, 내가 못 할 거 같냐.

지금까지 쑤셔온 모가지가 몇인데 고작 늬 하나를 못 쑤실까 봐서.

근데 여태 안 쑤시고 뭐 하는데, 씨발.

튈 기회 줬잖아. 좆같은 꼴 보기 싫어하니까…… 줬잖아.

벌레가, 벌레 새끼, 개씨발… 이 좆같, 좆, 허억, 죽여, 줘… 죽, 여야……
제발, 끝장을, 헉…

뒷덜미를 우악스럽게 낚아채는 손길에 고개를 비스듬히 들어 올린다. 시선
이 얽힌다. 죽어야 돼, 죽었어야 돼. 바닥을 긁던 손이 허공을 휘젓는다.
손톱 아래 피딱지가 또. 짧게 혀를 차는 소리와 함께 한껏 젖혀졌던 몸이
중심을 잃고 휘청인다. 또 한 번, 바닥에 처박힌다. 또 한 번, 빚을 진다.

깜빡.
깜빡.
깜빡.
깜빡.
깜빡.
깜빡.
깜빡.
깜빡.
깜빡.

…… 점멸.

열대야가…… 끝나지 않는다.

165

구멍이라는 게 말이야, …… 하나가 크기를 키워야만 주변을 잡아먹는다고 생각하잖아. 근데 작은 구멍이 여러 개 뚫리면 어떻게 될까. 구멍 옆에 구멍, 구멍 위에 구멍, 구멍 아래에 구멍. 겹치고 겹쳐지면 남는 게 없어져. 그러니까 아주 작은 점이라도 쉽게 간과해서는 안 된다고.

이 얘기를 왜 하냐고? 글쎄. 나도 잘 모르겠네. 어디서 뚫린 건지 아니면 홀린 건지. 도통 모르겠는 것들로 머리가 엉망이라 그런 걸지도. …… 기억에도 간혹 공백이 생기는 법이거든. 불특정한 공백. 어떤 건 정말 잊고 싶었던 것이고 어떤 건 절대 잊지 말아야 하는 것이고.

사실 구분이 잘…….

내가 더듬고 있는 게 말일까, 기억일까. 과거에 구멍이 또 하나, 또 하나, 또 하나. 자리를 잡은 구멍들이 겹치고 겹치면 어떻게 될까. 기억이 소실된 사람들을 지탱하게 하는 건 뭘까. 생각해 봤어?

그럴 필요가, 없었겠지만. 그래도 말이야. 한 번쯤은.

요즘 문득 드는 생각이 하나 있는데,
…….
뭐였더라.

굳어가는 게 손끝만은 아닌가 봐, 아무래도. 겨울이 코앞이던가. 그것도 아니던데. 어쩌면 손끝에서부터 시작되고 있는 걸지도. 아니, 아니, ……, 그러니까 진짜 뭐였는데.

이건 잊고 싶었던 걸까, 잊지 말아야 했던 걸까.

4 나의 유작遺作이자 너의 유작有作으로

…… 싫다고 좆같다고 입술을 깨물고 지랄을 떨던 건 죄다 버렸는데 찢어
버리겠다던 미안은 버리지를 못했다. 제정신이라서. 미치도록 제정신이라
서. 제정신일 때 제일 미친놈이라서. 미안. 제정신이라서. 미안. 제정신이라
서. 미안. 제정신이고 싶어서. 미안. 미안. 미안. 미안. 미안. 미안.

한여름에도 뜨거운 물을 쏟아붓는다. 한껏 옆으로 젖혀진 수도꼭지가 처량한 게 꼭 무언가를 닮았다는 생각을 한다. 절대 가운데를 걷지 못하는. 모서리만 골라 걷는. 그러다 발바닥을 베이거나 혹은 절벽 아래로 추락하고야 마는. 덜덜, 몸이 떨린다. …… 지겨운 한기가 또. 최근엔 자주 손끝이 저렸다. 저리다 못해 시린 손끝이 딱딱하게 굳으면, 지나치게 단단한 것들은 오히려 쉽게 갈린다는 이야기를 떠올렸다. 마모된다고 했던가. 잘 잤냐. 엉, 아마도. 밥 먹었냐. 어, 뭐. 뭐 먹었냐. 그냥 대충. 뭐 하냐. 적당히, 뭐.

야, 해상아, 있냐……,

엉.

…… 늬 어제 얘기했던 거, 먹자.

배가 안 고픈데.

그럼 보자고 했던 영화나 보든가.

딱히 안 보고 싶다.

아. 니 오늘 나간다 안 했냐.

어엉, 이따가.

…….

왜.

…….

왜 말을 안 하는데.

이 씹, 늬…… 어제 아무 말도 안 했다.

뭘 먹자는 얘기도, 보자는 얘기도, 듣자는 얘기도, 하자는 얘기도. 그 어떤 것도 하지 않는다. 할 수가 없다. 기억을 기억하지 못 하는 일의 폐해를 겪고 있는 것이다. 그러니까, 내가, 온전하지 못하다는 걸, 내가, 증명하고 싶지 않다는, 그러니까, ……, 명확한 대답을 줄 수 없게 되었다는 것.

잘 잤냐. 엉, 아마도. 밥 먹었냐. 어, 뭐. 뭐 먹었냐. 그냥 대충. 뭐 하냐. 적당히, 뭐. 야, 해상아. 엉. …… 우리 어제도 똑같은 말을 했다. 그저께도. ……, …….

그래, 아마 내일도.

고해는 가루가 되어 흩어지고, 나는 나로부터 등을 돌린 채 잠에 든다.

…… 나를. 얼마나. 거듭하고. 기억해?

손끝부터 차게 식기 시작한다는 것. 끄트머리에서부터 순환을 시작한 내가 차게 식기 시작하는 것. 내가 차게 식기 시작한다는 것은 피가 차게 식기 시작한다는 것. 피가 차게 식기 시작한다는 것은. 것은. 것은. 것은. 불충분한, 불이 필요한, 불, 충분한, 불이 필요한, 태우거나 녹여 버릴……

173

있잖아 전에 얘기했었지 내가 잠겨 죽지 않는 건 내 이름이 海上이어서가 아니라 害想이라 거꾸로 뒤집으면 傷害기 때문이라고 그러니 나는 꼭 손목을 잘라야만 할 거라고 그래서 이렇게 손이 자꾸 차가워지나 봐 그런데 말이야 내가 정말 해상이기는 했어? 부유浮遊 하지도 부유富裕 하지도 않았는데?

그러니까 나를 잘게 쪼개면 나는 해상이 아니라 애상哀傷 으로 남게 되는 게 아닐까 하는 생각을 잠깐, 아주 잠깐……

나는 피에 잠겨 죽을 자리를 찾는다고 했잖아 너는 무덤 위에 무덤을 짓겠다고 했으니까 그러니까 나는…… 무덤 위를 무덤으로 덮어서 살고 싶었나봐 다만 수몰하여 내게 몰락하는 에덴을 기대했나 봐 스스로 추방을 자처한 주제에 내가 아니면 세워지지 않을 낙원을 감히 꿈꿨나 봐

너, 이게 얼마나 끔찍한 일인 줄 알아?
애상을 빼면 뭐가 남는지, 잘 봐.
가. 그래, 가라고. 내가 얘기했잖아. 난 미처 가지 못하니까, 미쳐간다고.
그럼 이제 딱 하나가 남았네.

하, 하하하하하, 하, 하하학, 학, 하핳, 하…… …… ㅎ,
웃어야지. 넌.

같이, 살 수 있었을까?

나는 뱀이었고, 너는 내 손아귀에 떨어질 이브라 착각했겠지만…… 생각해
봐. 나는 너를 에덴이라 불렀다. 구멍이 날 것을 알면서도. 끊임없이 내가
너를 상기하고 있음을. 지워지면 덧씌우는 방식으로. 혹은 목소리를 내거나
시선을 두는 방식으로. 언제나 증명해 왔다고.

입김이…… 나는 거 같지 않아? 좀. 춥네. 이렇게 앞이 흐리도록, 쌓여도
괜찮은, 괜찮겠, 응. 괜찮은 건 괜찮은 걸로 둬. 괜찮지 않은 건, 괜찮지 않
으니까 괜찮지 않게 치워. 버려야. 만.

내가 이 모든 걸, ……, 어쩌면 그려왔을지도 모르겠다는, 오만, 에 구멍이
뚫려서, 언젠가 네가 에덴이 됐던, 기억마저 잠시 잊게 될 때, 또 구멍이
뚫리면, 사실 나는 누구보다 재난 같은 삶에, 경멸을 토했다는 착각, 마저
또 구멍이 뚫기를, 그리하여 내게 남은 게 공허 뿐이기를.

사실 재난도 재앙도 아닌 거야 뜻하지 않았다니 그게 무슨 말이야 알고 있
었잖아 알면서도 애써 외면했잖아 모르는 척을 했잖아 하루만 더 하루만
더 그래서 나는 연명이라는 말을 자주 뱉고 너는 내가 뱉은 말을 삼키느라
목이 멨던 거잖아 …… 그러니까 절대 거둬지도록 기도하지 마. 뜻하지 않
은 불행. 재앙과 재난 같은 말을 내 이름으로 대신하지 마.

목을 매는 건 나여야지. 나여야지.

정 기도가 하고 싶거든…… 내가 오래 흔들리길 기도해.

삐걱, 삐걱, 삐걱, 삐걱, 틱, 탁, 틱, 탁, 틱, 탁, 삐걱, 삐걱, 삐걱, 삐걱,
틱, 탁, 틱, 탁, 틱, 탁, 삐걱, 삐걱, 삐걱, 삐걱, 틱, 탁, 틱, 탁, 틱, 탁, 삐
걱, 삐걱, 삐걱, 삐걱, 틱, 탁, 틱, 탁, 틱, 탁, 삐걱, 삐걱, 삐걱, 삐걱, 틱,
탁, 틱, 탁, 틱, 탁, …… 추락까지 얼마나 남았어?

오.

사.

삼.

이.

일.

구멍 속으로, 번지.

무저갱이길 기도해. 흔들리다 떨어져 산산조각까지 나면 정말 돌이킬 수
없어. 근데 있잖아, 떨어지고 떨어지다 내가 또 악몽으로 살아 돌아오게 되
면……

…… 아니야.

수몰하지 마. 몰락하지 마. 감히 거둬지지 않기를 바라는 기도에도, 내가 아니라 너의 목소리를 빌려 하는 기도에도 답이 오면, 그땐 내가 들키지 않고, 감히 기만하고 또 기만하면서, 네게 선악과를 다시,

선사할게.

나는 나의 유작遺作이자, 너의 유작有作이 될 수 있을까.

불온의 49재, 중음을 떠돌며.

망자의 영혼은 칠칠일, 저승에 머무르며 명부시왕 중 일곱 대왕에게 7 일째 되는 날마다 심판을 받는다더라. 49 일에 마지막 심판을 받고 환생한다지. 그래서 49 일 동안 심판을 받는 날에 맞춰 7 번의 재를 지내는 거라고. 날을 빌려 미리 치른 49재는 나를 살게 만들었까, 너를 살게 만들었까.

…… 아. 잊고 있었다. 우리는 대답을 가지지 못한 게 아니라 대답을 가지고도 침묵하는 악습을 가졌지, 참. 그럼 이번에도 대답하지 않겠네.

…… 내가 지금 육도의 어디를 떠돌고 있을 거 같냐.
등신. 나는 지금 어디에도 머무르지 못하는, 중음을 떠도는 목소리야.

금기를 지키지 못했다는 핑계를 대기로 하자. 그래, 사실은 지나치게 간단하고 편리한 핑계를 대고자 하는 거야. 죽음을 기억하는 동안에는 절대 기쁘고 행복하지 말 것. 안온을 찾지 않을 것. 그럼 또 질문이 꼬리를 문다.

행복했어?
…… 그래. 아주 많이.

나는 방금 우리의 악습을 끊어낸 거야.

있잖아. 나는 공생 같은 말은 안 믿어. 편리공생, 편해공생, 상리공생…. 그게 우리 사이에 가당키나 한 말이냐. 나는 그냥, 기생하는 거야. 거듭 네게 진실 같은 거짓말, 거짓말 같은 진실을 뱉으면서. 내가 기생할 자리를 찾는 거야. 고혈을 짜내며 사는 삶이 그래서 끔찍한 거야. 뒤섞이면 진위를 알 수 없게 되니까. 그래서 골라낼 수 없게 되는 것들이 잔뜩이니까.

내가 가진 구멍을 내가 덮을 수 없는 건 그래서야.
나는 간악한 주제에 온전해지고 싶은 짐승이라.

내가 또다시 악몽으로 돌아오면 기만하고 또 기만하면서 선악과를 선사하겠다고 했지. 이건 진실 같은 거짓말일까, 거짓말 같은 진실일까. 거짓말이기를 바라면서도 진실이라는 불안함에 가슴을 찢은 게 불과 어제의 일이잖아.

불온의 49재.

신을 기만하며 시간을 거슬러 치른, 금기로 가득한 불온의 49재. 내 심판의 결과가 궁금해? 악몽을 기다리고 있는 거네. 나는 악몽으로 돌아올 거니까. 네 악몽이 나를 살게도 했다가 죽게도 했다가. 기생할 구석을 만들어 줄 테니까. 그러니까…… 악몽을 꾸기엔 차고 넘치는 시간이지. 꿈은 현실보다 느리게 시간을 흐르도록 만들잖아.

나는 여전히 잊어가는 것들을 끌어안고 구멍 난 것들을 그러쥐고 내가 아
닌 남의 기억을 덧바르며 살아가야 해. 그러니까 넌 매일 악몽을 꿔야 해.
내가 살기를 바란다면. 어떻게든 남기를 바란다면. 내 생각에 허덕이며 살
아야만 한다고.

그래도 날 살리고 싶어?
…… 그래. 여기가 지옥도구나.

내가 매일 잊어가는 나를 기억해. 너는 기억해. 너만 기억해. 너만큼은 기
억해. 나는 그런 너를 기억할게. 그렇게, 비상식적인 방식으로나마, 내가
어디든 남는 셈으로 치자.

내가 가진 모든 안식을 팔아 너의 불안을 살게.
그러니까 나한테 흔하디흔한 바다의 이름을 가져다 붙이지 말라고.
감히, 내게 익사를 기대하다니.
넌 날 대체 뭐라고 생각하는 거야.
나는 죽음마저 철저히 기억되는 방식을 선택할 놈이잖아.
海上 같은 뻔하고 흔한 거 말고.

그러니까 내가 그 방법을 찾지 않게, 오늘도 내 생각을 덮고 자.
근데 말이야, …… 정말 안심해?

내가 매일, 죽어가는 마음으로 제사를 지내고 있었다는 것도 몰랐으면서.

…… 종교 사업은 무슨. 두익아, 다 죽이자. 살던 대로 살자. 괜한 짓을 하니까 사람이 자꾸 물려져. 가까이 두려고 드니까 찾게 되잖아. 신, 낙원, 안식, 기도, 고해……. 거북하다. 비린 것들보다 비리지 않은 것들이.

Q. 처음부터 이럴 작정이었습니까?

A. 예, 그럴 작정이었는데요. 내가 언제 계획하지 않고 움직이는 거 봤어? 대체 얼마나 날 더 봐야 이해를 할까.

Q. 49재도?

A. 몰아서 치를까, 그럼.

Q. 대체 어디까지 그림을 그리고 있는 거야, 당신.

A. 니가 말라 죽을 때까지.

Q. 왜 그랬어?

A. 네 불안이 가신 거 같길래.

Q. 가는 것도 계획에 있어?

A. 궁금해?

Q. ·······.

A. 계획이 가끔 틀어질 때가 있어.

Q. ·······.

A. 떠나고 싶지 않은 구석이 하나. 다정과 애정을 쓰고 싶어서, 계획이 틀어졌다고.

Q. …….

A. 계획하지 않은 것들 중에 유일하게 마음에 드는 것.

Q. 정말 처음부터 생각했어?

A. 지옥에 땅을 샀다고 했잖아. 매일 죽어가는 거야, 사람은.

넌 바다가 낭만인 줄 알지. 넓고 모든 것을 포용할 것만 같다고,
……, 그래, 그래서 바다에 빠져 죽는 사람이 몇이라고?

그래도 네 낭만이 거기에 있다면 기꺼이.
내 이름이 바다가 아니더라도. 끝내 저 수심이 내 허물로 가득하더라도.

익사, 많이 해.

나의 환상통, 늘 그렇듯 땀에 젖어 깨는 지옥에서도.

한 번 더? 얇아질까, 선명해질까. 어디에 걸래.

모르셨겠지만…… 저는 가장 초라할 때 화려해지는 법이라.

아, 근데 혹시 알고 계셨나. 뱀은 허물을 벗지 못하면 더는 성장하지 못하
고 죽어 버린다는 거. 그러니 내가 생을 끝내지 못해 비겁하게 탈피를 거
듭하며 부지하고 있다는 것도 모르는 거지. 보다 명확하게, 보다 가늘게.
벗기고 벗겨낸 심연을…… 너는 외면하지 말아야지.

공멸을 바라는 것이 아니라면.

나는 삶으로부터 너무 자주 버려지거나 뒤처진 탓에 더는 버려지고 뒤처지지 않기 위해 타인의 등을 보지 않는 대신 그림자가 밟히는 쪽을 선택했다.

그럼 놈은 너무 자주 버리고 떠났거나 도망친 탓에 내 뒤를 지키고 있었냐고 묻는다면, 글쎄…….

놈이 버리고 온 것 혹은 도망친 곳 따위를 내가 알아야만 했나?

쥐지 못해 버릴 것이 없어 버려본 적이 없는 탓에 찰나의 순간,
도망을 앞에 두고도 나는 뒤를 돌아보며 고민했고……
버려진 적이 없는 탓에 그렇게 분을 못 이겨 나를 원망했나.

……

그놈 속이야 나도 모르지.

나랑 같은 생각을 했는지, 다른 생각을 했는지.
아니, 생각이라는 걸 하기는 했는지.
그것도 아니라면……
원망조차 하기는 했을지.

겨울 바다를 보러 갈까? 입김이 나오는, 성난, 포말이 하얗게 부서지고
부수는······ ······ 좋아하잖아. 부서지는 거, 부수는 거.

이토록 고독하고 이토록 추위에 떠는데 겨울이 아닐 수가, ······ 있나.

파도는 죽으러 바다에 간다.
너 역시 그렇게 죽기 위해 내게 왔으리라.

사랑은 사람이 만든 허위의 장난이다. 아니, 사람이 허위의 장난이었던가. 자주 입가가 비틀렸다. 그러니까요, 강해상 씨… 이건 말입니다…… …… 해상아, 야, 너 진짜 왜 그래. 제발 그런 소리 좀 하지 말고. …… 젖으면 안 되는 거 알지? …… 가는 것도 계획에 있어? 확실한 대답을 바라는 상대에게 줄 수 있는 가장 확고한 대답은 침묵이다. 스치듯 지나가는 것들에는 명명할 이름을 붙이지 않는 법이므로. 그러니 명백한 침묵으로 대답을 대신하는 것이다. 실컷 오해할 수 있도록. 내 침묵에는 다양한 이름이 붙는다. 예를 들자면… 희로애락을 덧씌운 혹시나 하는 일말의 낭만 같은 것.

내 속이 썩어 문드러지고 있다는 것은 누구도 알지 못한 채로.

떨, 엑스터시, LSD, 필로폰, 헤로인, 코카인, 스피드볼, 브라운-브라운… 익숙한 것부터 시작해서 생소한 것들까지.

고통은 내게 지나칠 정도로 최선을 다한다. 내게 최선을 다하는 것이란 죄다 그런 류의 것이다. 나를 무너지게 만들거나 깊이 묻히게 만들거나. 마치 굳은 피처럼. 냄새는 고약하고 여기저기 달라붙고 엉기어 온몸을 뒤덮었던 그 언젠가의 피처럼.

지독하고 끈질긴, 잔인하고 사악한, 고통, 이 나의 이름이었던가. 잠깐, 아주 잠깐이라 부르는 찰나의 시간도 고통이 멈추지 않는다는 사실이 나를 견딜 수 없게 한다. 고통의 뿌리를 잘라내려 발버둥을 칠 때마다 파이는 것은 흙처럼 퍼석해진 내 자신이기에. 어설프게 흉내를 낸 내 악독은 태생부터 악의인 것들을 이길 수가 없다는 것만 깨닫고 마는 것이다. 악의는 늘 그렇게 과시한다. 과시하기 위해 존재한다. 진하게, 독하게, 처절하게……

사방이 잠든 밤, 사방이 깨어있는 낮. 시간을 거꾸로 산다. 값을 제대로 치러 팔지 못해 엉뚱한 것을 사 버린 탓이다. 안에 독을 쏟아 나를 죽이거나 나의 나를 죽이거나 혹은 나의 나의 나를 죽여야만 하는데. 내가 소원하는 죽음은 어느 구석에도 자라지 않는다. 잘하지 않는다. 아니, 잘하지 못한다. …… 허물어지는 것은 내가 소원하지 않았던 것들이다. 내가 소원所願하지 않아 소원疏遠했던 것들.

내가 지금 착란을 겪고 있나.

하아…….
느, 뭔 짓을 또 허냐.
두익아, 이거 봐라.
뭐.

193

입김이 난다.

…….

하아…….

씹, …… 한여름에 뭔 입김이 난다고 지럴이냐, 또.

틱, 틱, …… 탁.

가스가 다 된 라이터는 한 번에 불이 켜지는 법이 없었다. 습관처럼 욕지
기를 뱉으면서도 두익은 소파 위에 드러누운 내게 비키라는 소리 한마디
없이 바닥에 자리를 잡고 앉았다. 후, 하는 긴 숨소리와 함께 연기를 내뿜
으며. 봐, 입김이 나잖아. 내 실없는 농담에 킬킬대고 웃는 건 나 하나다.
담배를 씹어 물며 두익은 소파 밖으로 내민 내 손을 쥐었다. 언젠가 손이
자주 저려 꼭 시체처럼 굳기 시작하는 기분이 든다는 말을 들은 뒤로는 자
주 그랬다. 남사스럽게 무슨 짓이냐며 쳐내기를 몇 번. 쓸데없이 우직한 곰
새끼는 손등에 할퀸 자국을 달고도 불평을 뱉지 않았다.

난 이게 너무 좆같은 거야.

그래, 그러겠지.

제대로 내 말을 듣기나 한 건지. 고개는 대충 끄덕이는 주제에 손을 주무
르는 일은 또 열심이다.

아, 정말 너무 좆같은 거야…….

손이 따뜻해지면 한기가 사라지는 게 아니라, 도망을 쳐 다른 숨을 구석을 찾는 것처럼 팔을 타고 올라오는 게. 팔로 눈가를 가린다. 형광등의 빛을 가리면 낮인지 밤인지 구분하지 않아도 돼서 좋았고, 눈을 가리면 여름인지 겨울인지 구분하지 않아도 돼서 좋았고…… 손을 쳐내면 니가 꿈인지 현실인지 가늠하지 않아도 돼서 좋을 텐데.

하아…….
…….
하아…….
…….
하아…….
거, 씨발. 좀.
하아…… 죽(어야)겠다.

나는 망가진 죄밖에 없어

그러니까 내가 어느 구석이 어떻게 망가졌는지조차 더는 알지 못하는 죄 그럼 그건 망가진 죄에 무지라는 죄를 더해야만 하는 걸까 너는 내가 우습지 내가 멀쩡하게 살지 못하는 게 우습고 그런 나를 남몰래 훔쳐보면서 니 인생은 좀 더 낫다고 자위하지 자위하는 건 넌데 신음하는 건 나야 나는 새우처럼 허리를 둥글게 말고 잠을 자고 눈을 뜨면 습관처럼 서랍 위를 더듬어 주사를 찾고 과자를 밥처럼 씹고 그래 니들이 말하는 것처럼 애새끼 같은 짓을 반복하고 자극을 쫓고 쾌락을 쫓고 그러면서도 내게 더 남은 자극과 쾌락이 없다는 말을 습관처럼 뱉고 이런 내가 한심하지 그럼 나는 니 인생을 조금이라도 나아지게 만들고 있다는 건데 그런데도 내 죄는 망가짐에 있어

너 같은 새끼들이 뭘 알아 너는 내가 뭘 느끼는지 뭘 느끼지 못하는지 모르잖아 나는 물컹거리는 식감이 싫어 맛도 안 나는 주제에 내가 씹지 않아도 입안에서 함부로 뭉개지는 것들이 싫어 이런 내가 세 살짜리 애새끼 같아? 세 살짜리 애새끼들은 뜨끈한 핏덩이 같은 내장의 맛을 몰라 시체를 씹는 느낌을 몰라 죽음이 뭔지 몰라 목도하지 않은 것들은 하나도 모른다고 나는 그걸 너무 잘 아는 거야 내가 목도한 아니 내가 집도한 죽음이 발치에 쌓여있어 나는 살기 위해 하이에나처럼 남들의 속을 파먹으며 살았으니까 근데 니가 뭘 알아 너도 모르잖아 이게 그냥 내 변덕이고 고집인 거 같지 나는 살아있고 싶어 살아있는 것들과 부대끼고 싶어 그리고 그런 내가 죽었으면 좋겠어 내가 씹는 건 내 시체 하나였으면 좋겠어 너는 좋겠다 이런 좆같은 기분을 느끼지 않아도 괜찮아서

그런데도 내 죄는 또 망가짐에 있어

땀이 뚝뚝 떨어지고 몸이 달라붙는 골방에 처박히는 거야 퀴퀴한 곰팡내가
가득한 몇 평 남짓한 공간에서 눅눅해진 비스킷 혹은 다 식은 피자 조각을
씹어 먹고 적당히 배가 차면 다시 등짝이 달라붙는 바닥에 대자로 뻗어 덜
덜 소리를 내며 돌아가는 선풍기 바람을 쐬고 땀에 젖은 앞머리를 쓸어넘
기는 거야 너는 이게 낭만이지 나는 이게 너무 구질구질해 이게 왜 너한테
는 낭만이고 나한테는 구질구질한 짓인 줄 알아? 너한테는 언제든 벗어날
수 있는 자리니까 니가 원할 때만 겪어도 되는 일이니까 그러니까 낭만인
거야 근데 나는 아니야 나는 벗어나고 싶어도 벗어날 수 없는 자리야 매일
마주해야 하는 현실인 거야 도망을 치면 더 나은 곳이 나와야 하는데 도망
을 칠 때마다 좀 더 심연으로 가라앉고 있기 때문이야 그러니 이게 낭만일
수가 있나 너도 가끔 니 지긋지긋한 현실에서 도망치고 싶다고 얘기하잖아
너한테는 니 삶이 낭만처럼 느껴지지 않잖아 나도 그래 나도 그렇다고 그
런데도 내 죄는 또 망가짐에 있어

나는 망가진 죄를 쌓고 있어,
아직도.

속부터 썩어가는 건 나일까 아니면 나를 지켜보는 너일까.
사실 순서는 중요하지 않은 거지.

어차피 둘 다 썩어가고 있다는 사실은 변하지 않거든.

한 번 썩기 시작한 건 되돌릴 수가 없어. 억만금을 줘도 살려내지 못해. 좀 먹은 것들을 되돌리는 일은 늘 그렇게 어려운 거야. 남은 구석이라도 살리려면 썩은 부위를 잘라내야 돼. 내가 하는 말, 이해하지. 너는 나를 잘라내야 하고, 나는 너를 잘라내야 한다고. 우리는 그걸 너무 잘 알면서도 엄두를 내지 못하고 있는 거고. 언젠가 얘기했었지. 너는 나를 제외한 모든 걸 포기할 수 있고, 나는 나머지를 제외한 너만 포기할 수 있다고. …… 그런데 왜 아직 너를 잘라내지 않았냐고?

…… 너를 잘라내면,
나를 살게 하는 게 뭐가 남는데.

내가 지금보다 한 뼘만큼만 나은 새끼였다면. 괜찮지는 않더라도 딱 그만큼만 나은 새끼였다면. 나는 오히려 좀 더 간사하고 영악하게 굴었을 거야. 남는 것들, 불필요한 것들, 어차피 쓰지도 않는 것들을 박박 긁어모아 네게 쓰고 그게 전부인 척을 하면서.

그렇게 살았을 거야.

그럼에도 내가 나아지길 원해?
내가 나아지길 빌어?
나는 내가 죽었으면 좋겠어.

아침에 잠깐 나갔다 올 거다.

… 어디 가는데.

그냥 뭐……. 일 좀 보러.

… 나 없어도 괜찮냐.

괜찮아. 일찍 올 거고.

그래… 기다릴 테니까.

…… 기다린다는 말, 좋네.

사실은 겨울 바다를 보러 가려고 했어. 입만 열면 썩은내가 나서, 숨만 쉬면 입김이 자꾸만 번져서. 포말이 하얗게 부서지고 부수는…… 겨울 바다를. 이토록 고독하고 이토록 추위에 떠는데 겨울이 아닐 수가 없다고 생각해서. 그래서 겨울 바다를 보러 가려고 했는데…… 봐, 나는 그것마저 제대로 하지를 못 해. 나를 기만한 거야. 나갔다 오겠다니. 일찍 오겠다니. 기다린다는 말이 좋다니. …… 너는 알았지. 알았겠지. 알았던 거야. 그러니까 기다린다고 한 거야. 나는, 두익아, 나는… 나는 진짜, 이게 너무 좆같은 거야.

내 이름엔 바다가 들어가지 않는다는데도 나를 바다라고 부르는 사람들이 있어. 나는 멋대로 바다가 되는 거야. 대체 뭐라고 그렇게 바다들을 좋아할까. 나는 바다를 보면 제일 먼저 익사를 생각하면서도 절대 빠져 죽지는 않을 거라는 다짐을 매번 하는데도 사람들은 내게 익사를 기대해.

나는 기대에 부응하기 위해 물에 빠져 죽어야만 하는 게 아닐까 따위를 고민해야만 해. 정작 내가 바라는 수몰은 내게 있는 것이 아닌데도. …… 나는 바다에 빠져 죽은 것들이 내뿜는 저 비린내가 나와 너무 같아 진저리를 치며 사는데도. 이런 내가 바다일 수가 있을까. 바다가 될 수 있을까.

야, 있잖아…… 사실 한 번도 말하지 않았던 건데.
나한테 바다는 너야.
흔하디흔한, 이름으로 하는 장난 같은 소리 같은 게 아니라.
나한테 바다는 너라고. 너는 내가 가진 모든 걸 포용하려고 드니까.
내가 아무리 휘몰아치고 부수고 지랄을 떨어도 결국 벗어나질 못하잖아.
파도가 치지 않는 바다는 있어도…… 바다 없이 치는 파도는 없어.
그러니까 처음 얘기하는 건데. 앞으로도 말하지 않을 건데.
…… 나한테 바다는 너야.

나는 바다가 아니라 파도야. 바다가 없이는 치지 못하는 파도. 나를 살고 싶게 만드는 것도 너니까. 그럼에도 나를 영영 죽였으면 하는 것도 너니까. 늘 흔들리고 흔들리고 흔들리고 흔들리고 흔들리고…… 바다로부터 멀어지기 위해 해변으로 달아나면서도 결국 바다로 돌아가는, 파도야.

나는 온전히 살다 영영 소멸하기 위해,
숱한 죽음이 매달린 네게로 간다.

너 역시 그렇게 죽기 위해 내게 왔으리라.

나는 낭만이었다가 열망이었다가 갈증이었다가…… 나를 불안이나 불행, 불온이라 부를 생각은 없는 거지. 그러니까 기갈에 죽어가는 건 나인데도 젖는 건 너인 거야.

이러니까 내가 자꾸 거북한 것들을 속에 쌓는 거야. 다정, 인정, 관용…….
착각이 착각을 낳고 그 착각이 또 착각을 낳도록. 내 관용은 사실 만용을 기르는 일이거든.

사람들 참 단순하다니까. 입맛에 맞게 굴어주면 이유를 찾아야 하는데, 만족감에 취하면 이유 따위는 안중에도 없어.

이 정 도 면   실 망 을   기 대 하 는   거 겠 지 .

매번 곤란하다는 말을 버릇처럼 달고 사는 주제에 괜히 이 새끼 한 번, 저 새끼 한 번 기웃거리는 건 일부러잖아. 뭐라더라…… 기강? 사실은 잡히고 싶어서 안달이 나셨던 게 아니냐고.

나 눈 돌렸어요.
마음 동했어요.
잠깐 사랑에도 빠졌다가 열이 오르기도 했다가.
당신 생각을 잠깐 멈췄어요.
이러다 당신을 잊을 거 같아요.

잊어.
잊으라니까?
잊을 거 같다는 건 잊지를 못하겠어?
야, 있잖아. 내가 뭘 다시 잡아야 되는데?

다시 잡는다는 말은 바꿔서 얘기하면 결국 쥐고 있던 걸 놓쳤거나 놔줬다는 얘기야. 난 뭐든 놓친 적도, 놔준 적도 없는데…… 내가 뭘 잡아야 되나? 굳이?

많이들 잡으라고 하세요.
놓친 거든 놔준 거든.

5 탈피를 위한 열원熱源

내가 이 말을 해 줬어야 했는데. 내가 니 열원熱願이듯 너 역시 내 열원熱源이라고. 똑바로 봐. 벗겨지고 있잖아. 아니, 벗게 해 주고 있나.

외로워괴로워외로워괴로워외로워괴로워외로워괴로워외로워괴로워외로워괴로워외로워괴로워외로워괴로워외로워괴로워외로워괴로워외로워괴로워외로워괴로워외로워괴로워외로워괴로워외로워괴로워외로워괴로워외로워괴로워외로워괴로워외로워괴로워……

외, …… 왜 괴로워?

괴롭다는것은욕망이있다는것현실을살고있다는것현존하는것들이나를고통스럽게만들고있다는건초월하지못한다는것완벽하게행복하기를바란다는것순간을영원히지속하고싶어한다는것내욕망이완전히채워지지못했다는것생겨났다가사라지는것들을인정하지못한다는것내가내게서나를소거시키지못한다는것

욕망현존초월완벽행복에취착당하고있다는망상이외롭고괴로우니나는나를나로부터소거시키고내기억을가진모든것들을소거시키고그렇게괴로움에서벗어나면내게또남은것이없어외롭고나는외로우니까다시또욕망현존초월완벽행복에취착당하기위해발이나손을뻗을곳을찾고

내 혓바닥 위에 재를 털어. 남은 불씨도 비벼서 꺼. 유독한 검정을 삼키고 혓바닥 위에 낙인을 새겨. 더는 간사한 단어들을 뱉지 못하게. 혓바닥을 세로로 잘라 두 갈래, 세 갈래, 네 갈래…… 그 갈라진 자리마다 거짓을 끼워 팔지 못하게.

아.

내가 주는 거짓만 사랑했지. 내가 아니라.

내가 어떤 새끼인지 잊고 살았나 봐. 희대의 씹새끼, 고쳐서 쓰지도 못할 개새끼, …… 멸종해도 시원찮을 말종 새끼. 이래도 내가 익숙하고 편안해?

내 본질을 마주할 자신은 죽어도 없는 주제에.

남 사는 일에 참 관심들 많아요. 어떻게 아직까지 살아있는지, 어디에 몸을 숨기고 사는지…… 내가 그런 걸 다 얘기해 줄 거라고 생각하나 봐. 그럼 내가 그때 죽었어야 했나.

'내가 한국 갑니다.'
그래서 한국에 왔는데,
'너 내가 꼭 죽인다. 니 가족까지 내가…….'

내가 그렇게 쉽게 죽을까.
구급대 왔고, 살해 피의자여도 치료가 필요하면……
뉴스 안 봤어?

도심에서 납치극을 벌인…… 경찰은 이 중 강모 씨를…… 강모 씨는 동남아시아 일대에서 벌어진 한인 납치…… …… 강모 씨는 현재 치료 목적으로 …… …… …… …… 속보입니다 현재 병원으로 옮겨진…… …… 도주했다는 소식…… …… …… 도주 우려가 있던 피의자…… ……

안일한 대처…… …… …… 국민들의 불안이 가중…… …… 도주 경로를 파악하고 있으며…… …… …… 피할 수 없는 지탄을……

…… 여러분의 제보가 필요합니다.

납치 살인범을 상대로 폐공장 지대에 안일하게 형사 하나가 혼자 들쑤시고
다닐 때부터 알아봤습니다, 제가. 탈옥, 감형은 무슨. 내가 시간을 낭비할
정도로 그렇게 여유 넘치는 놈으로 보여? 머리를 좀 굴리면서 삽시다. 장
식으로 달고 다니는 것도 아닌데 그렇게 머리가 나빠서 어떻게 해? 내가
감옥에 갔으면 이렇게 나랑 멀쩡히 마주하고 있지는 못하겠지.

…… 두익이? 내가 그거까지 얘기해 줘야 하나, 참.

한국인 관광객 살해 한국인, ……
…… 베트남 교도소 호송 중 탈주……
…… …… 한국인 관광객을 숨지게 하고 시신을 유기한 혐의……
…… …… 한국으로 인계 예정이었으나……
…… 베트남 수사 기관 등과 공조해……
…… 공범이었던 강모 씨가 탈주한 가운데……
……

그럼 뭐,
우리가
법 지키고
심판받으면서
살 줄 알았나 봐?

비만 오면 비린내를 견딜 수가 없어서 또 미치고, 미치고, 미치고, 미치고, 미치고…… 내가 원하는 곳에 미치지 못하고. 어디쯤이지. 도달했나. 그러니까, 목이 꺾이는 바닥에.

누가 그러더라고. 입으로 피울 거면 피우기만 하고, 코로 빨 거면 빨기만 하고, 주사를 꽂을 거면 꽂기만 하지… 뭘 그렇게 조잡스럽게 하느냐고. 그걸 가릴 수 있는 처지였으면 내가 이러고 살았겠어? 응? 급급한 놈한테 방식이 뭐가 중요합니까. 망가지는 게 중요하지. 이걸, 그러니까, 뭐라더라?

과정보다 중요한…… 결과?

기다려 봐, 약 기운 좀 돌면 얘기해, 맨정신으로는 구역질이 나서 입을 못 열겠으니까, 아니면 목이 부러지면, 그때 다시 얘기해, 그럼 목소리가 나오지 않을, 테니까, 어차피 제대로 들어도, 제대로, 이해, 하지 못, 하잖아……, …….

쿵, …… 이런꼴을보이면서살고싶냐니이런꼴을보면서도옆에있고싶은게아니고그럼내가무슨꼴을보여야할까회개라도할까회,개같은소리,

쿵, 쿵, 쿵, 쿵, 쿵, 쿵, 쿵, 쿵, 쿵, 쿵, 쿵, 쿵, 쿵, ……

헉, 허억, …… 허억, 헉, 컥, …… 흐, 하, 하하하, 하, 하하, 하, 으, 헉, 허억, 아, …… 골이 울리게, 내가, 죽고 있, 나, 봐, …… …….

그만좀울려그만좀울려그만좀울려그만좀울려그만좀울려그만좀울려그만좀울려
그만좀울려그만좀울려그만좀울려그만좀울려그만좀울려그만좀울려그만좀울려
그만좀울려그만좀울려그만좀울려그만좀울려그만좀울려그만좀울려그만좀울려
그만좀울려그만좀울려그만좀울려그만좀울려그만좀울려그만좀울려그만좀울려
그만좀울려그만좀울려그만좀울려그만좀울려그만좀울려그만좀울려그만좀울려
그만좀울려그만좀울려그만좀울려그만좀울려그만좀울려그만좀울려그만좀울려
그만좀울려그만좀울려그만좀울려그만좀울려그만좀울려그만좀울려그만좀울려
그만좀울려그만좀울려그만좀울려그만좀울려그만좀울려그만좀울려그만좀울려
그만좀울려그만좀울려그만좀울려그만좀울려그만좀울려그만좀울려그만좀울려
그만좀울려그만좀울려그만좀울려그만좀울려그만좀울려그만좀울려그만좀울려
그만좀울려그만좀울려그만좀울려그만좀울려그만좀울려그만좀울려그만좀울려
그만좀울려그만좀울려그만좀울려그만좀울려그만좀울려그만좀울려그만좀울려
그만좀울려그만좀울려그만좀울려그만좀울려그만좀울려그만좀울려그만좀울려
그만좀울려그만좀울려그만좀울려그만좀울려그만좀울려그만좀울려그만좀울려

깨, 버릴까

너 고양이 닮았잖아. 귀찮아서 별거 안 하고 싶어 하는 주제에 예쁨이나 사랑은 받고 싶다고 난리고. 정작 손 뻗으면 시시하고 흥미 없다고 등 돌리다가도 관심 안 주면 허벅지부터 타고 싶어 하는 거. 딱 너네. 아. 그것도 있지. 열 번 예뻐해도 한 번 내버려 두면 지 예뻐한 건 기억도 못 하고 빽빽대는 것까지.

얼굴?
눈매?
… 그걸 지금 말이라고.

뭐가 또 불만이길래 이렇게 발톱을 세워. 발톱 그만 세우고 너 좋아하는 허벅지 위에 자리나 잡어. 알지, 조금만 늦어도 뺏기는 거.

…… 씁, 긁지 말라니까. 모처럼 니 날이니까 예뻐해 주겠다잖아.
아니면 가슴팍이든 등짝이든 니 손톱자국 새겨야 성에 차겠어?
…… 쯧. 한 번만이야.

말 한 번 얹었다가 졸지에 날마다 기념할 게 있는 사람처럼 살게 됐네. 무슨 날인지가 뭐가 중요해. 니가 태어났다는 게 중요하지. 기념하고 싶으면 그냥 니 이름이나 붙여. 니 이름보다 더 크게 의미 두는 거 없어. 내가 강해상입니다, 하는 것처럼.

215

뻔한 단어들을 너나 내 사이에 붙이기는 좀 진부하지. 그건 나 아니어도 다들 해 주는 일이잖아. 흔한 날에 니 이름 온전히 붙이다가 기일만큼은 잊고 사느라 니가 죽은 줄도 모르는 걸로 내 기억을 이어가는 건, 나만 하는 거고. … 망각도 선택이야. 후회는 내 선택의 부산물이고.

내가 가진 것들 중 가장 돈이 되지 않으면서도 가치가 있으며, 가장 쓸모가 없음에도 효용 가치를 따지지 않아도 되는 것. …… 비가 온다. 그래, 비가. 주제에 여전히 답잖은 회의감 따위를 느끼게 만드는 비, 가. 우리를 우리로 묶을 수 있게 된 지금도 비가 오면 자주 앓는 건, 어쩌면.

구역질 나도록 혐오하는, ……. 좆같고 역겨워지는, ……. 우리는 같은 단어에 비슷한 사족을 달고 우리가 애달프다가 안쓰러웠다가 가여웠다가. 그러다가도 실컷 자만하고 또, 또, 또, 또, …….

더 낡아도 돼. 더 녹슬어도 돼. 나를 단번에 죽게 하지 않아도 돼. 천천히 썩게 해도 돼. 썩은 자리를 마디마다 잘라내면서도 나는 어떻게든 또 살고 싶다는 소리를, 애원을, 갈구를. 하잖아, 네 앞에서. …….

살아진다.
사라진다.
살아진다.
사라진다.
살, …… 이, 여기가, 까맣게.

네 쓸모는 여전히 내게 있다.
내 목숨은 네게 달렸는데도.

아시죠. 비만 오면 자주 이러는 놈인 거. 알았다가 잃았다가. 잊혀졌다고 생각했던 기억을 더듬다 보면 잊었던 것도 다시 떠오르고, 반대로 선명하던 것도 다시 잊혀지고. …… 아. 또 내가 경솔했구나. 내가 또 무르게 살았구나. 비에 휩쓸릴 것이 걱정이라 나를 다잡게 만들어 주시고, 참.

돈도 안 되는 일. 더는 말라 비틀어질 것도 없이 아득바득 짜내는 것도 나고, 머리 꼭대기에 오르겠다 덤비는 꼴을 견디는 것도 난데 뭐가 그렇게 성에 안 차셔서. …… 그러니까 나 같은 새끼는 나 같은 삶이나 영위해라?

야. 이거 여기부터 저기까지 토막을 내. 묻어 버려. 뭐긴 뭐야. 불필요한 것들. 자라게 둘 필요가 없는 것들. 못해? 못하겠어? 좋아. 그럼 내가 해. 내가 머리로 계산하기 시작하고 몸을 쓰기 시작하면 다음은 없는 거야. 판은 니가 엎은 거야.

내가 정말 널 우습게 봤겠어? 우스운 꼴은 내가 다 보였는데. 즐겼잖아. 값 안 받을 테니까 퉁치자고. 여기서부터 저기까지, 토막 내는 걸로. 나는 낭만도 열망도 갈증도 아니야. 위태로운 불안, 늪 같은 불행, 오만한 불온이야. 나는 유일이 아니야. 버려, 버리라고, 제발 버려.

나는 아무것도 아니야.
나는 …… 마땅한 새끼야.

남은 건 이게 전부야 나는 잠을 자야겠어 생각을 차단해야겠어 그래야 기억을 또 잊고 잊은 기억으로 너를 마주하는 일이 잦아들 거 같아 나는 쾌락 중의 쾌락 감각 중의 감각 추락하는 사이 꺾이는 모가지에 매달려야겠어 오래 잘 거야 오래 오래 얇은 실 같은 숨을 쉴 거야 힉히히힉힉힉, ……, 흐, 하아하하하힉힉, 킥, 키킥킥킥키득키득, … 힉, 으하하힉, 흐으, 흐, 하하학하아, 악, 키킥킥킥킥킥, 흐힉, 히힉, …… 흐, 우웩, 웩, 커헉, 큭, 퀘퀘, 커어억, 키득키득킥킥키킥키, 킥…….

송충이는 솔잎을 먹고 나는 나를 먹지

킥킥킥킥킥킥킥킥 떨어졌어? 떨어진 거야? 목이 아직 안 부러진 거야 그럼 다시 떨어져야겠네 다시 올라가서 몸을 던져야겠네 킥킥킥킥킥킥킥킥킥 눈을 눈이 눈 눈 눈 눈은 가 감아야 ㄱ 가 감아아아아아아아아아아아 아 히힉 히히힉 흑 크흑 컥 힉 명줄이야 명줄 명줄 사이를 가로로 그어 목덜미에 구멍을 뚫어 바람 빠지는 구멍 피가 뚝뚝 핏기가 하얗게 노랗게 꺼멓게 검게 히히힉히히익 킥키긱킥킥킥킥킥 ……

아, 아주, 아주 오, ㅇ, 오래 잘, 거야, 잔다고오오, 오래, 킥, 키득, ㄴ, ㄴ, 내가 웃었어?? 아니, ㄱ, 그, 그러니까, …… 손과몸과혀가꼬여가주구내가, ㄱ, 그으, 그으게에, 나, 나는 자야, ㅈ, ㅈ, 자야,ㅈ흐, 늦게 ㄲ, 깨워 주, 주라아, 그래야구더기가가득파먹고악취가나는시체를, ㅂ, 보지이,

아버지아버지아버지아버지아버지저는아버지를닮았어요아버지를닮다못해더닮
고닮은놈이됐어요시작이같았으니제끝도날붙이에살점이매달리고도륙된채로끝
날까요잘못했어요잘못했습니다제발요제발배때기가너덜너덜한채로손을들지마
세요흘러내리잖아요구역질이나잖아요아버지아버지아버지아버지아버지아버지
저한테서당신과같은악취가납니다

하하하하하하하하하하하하하하하하죽어서도씨발사람을어지간히쫓아다
니면서괴롭게하면서죽여저걸죽여죽여돈이아니라저걸죽여내장을끄집고짓밟고
으깨까마귀에게먹이로던져아니면내눈에발라눈이뽑히게제발제발이게약이말이
야부족한거같아아직도현실이야현실인거야그었다그렸다그었다그렸다그었다그
렸다뭐해?뭐해?뭐해?뭐해?살리는거야?나를또죽이려고?죽이라고?그어그어그
어그어그어선을손을명줄을지긋지긋한얼굴부터세로로가로로난자해그었다그렸
다그었다그렸다그었다그렸다……

아. 설마 내가 약에 쩔어 손 달달 떨고 바닥이나 벽을 긁는 것도 아름답게
보이시나. 머리가 꽃밭이네. …… 아름다울 것도, 좋을 것도 없는 얘기니까
사리 분별은 합시다. 내가 하는 게 미화겠어?

아마 이게 아름답게 보이는 거면 그건 그냥 니가 날 사랑하는 거야. 부정
하고 싶으시겠지. 근데 어쩌겠어. 아름답지 않은 것들마저 숭배하고 미적으
로 보이게 만든 게 나라는데.

죗값을 받으라면서 목을 매달아야 한다느니, 숨통을 조여야 한다느니…. 다들 관대하시네. 겨우 그걸로 되겠어? 처절한 죽음 따위야 사실 구원 같은 겁니다. 이 단조롭고 지긋지긋한 생이 이어지는 것만큼 더한 벌이 어디에 있다고. 남의 일이라 쉽게들 생각하는 건지, 원.

내가 이따위로 살고 곧 죽을 놈처럼 별 지랄을 다 떨어도 절대 바라는 대로 죽지는 못할 거라는 확신. 그게 내 평생의 벌이고 업보라고…. 생각을 해 보세요. 내가 죽는다고 속이 시원해지나. 이렇게 지독하게, 끔찍하게 스스로를 경멸하며 살다 어디 시신도 발견되지 못해야 그게 벌 아니겠어?

생각보다 대화가 잘 통하시네요, 유하시네요. 같은 소리를 많이 듣는데…
시시껄렁한 소리에 흥미가 없어서 그렇지, 하면 합니다. 사람 엮는 일로 먹
고사는 사람이 그런 쪽에 재주가 없어서야 되겠어? 아이스 브레이킹, 공감
대 형성, 신변잡기적인 이야기, 껌 같이 씹고 버리는 농담. 경계 그거, 딱
한 번만 무너지게 하면 사람은 금방 해이해집니다. 틈을 노리는 건 그 이
후지.

돈도 안 되는 일에 매번 날 세우는 것도 고역이고.

'알면서도 니가 환청이나 환상이 아니라는 일에 안도만 하느라, 내가. ……
내가, 왜 좆같겠냐. 두익아, 씨발, 니가 자꾸 나를 살고 싶게 하니까…….'
'…… 너랑 똑같은 걸 내가, 하나 보지. 씨발 새끼야….'
'…… 어떻게든.'
'알어, 무슨 말인지. … 내가 너한테 뭔 확신을, 씨발, 무슨 자격이 있어서.
그런 걸 가지라고도 못 하고. 그러니까, 어. 그래서…. 애새끼들 씨발 별걸
다 묻네. 그치, 두익아….'

남은 세 번, 여전히.

나는 아직도 남은 세 번, 내가 살았는지 죽었는지 따위가 궁금해. 굴욕적이
고 치욕스럽게도. 그런데도 여전히 널 죽이는 꿈이나 네 손에 죽는 꿈은
꾸지를 못한다고. ……. 내가 하루 더, …… 살고 싶어지는 날이 길어지는
거야.

우린 멸종을 바라는 짐승으로 끝내 죽을 거야.
내가 그걸 바라니까.
그렇지,
그렇지,
그렇지.
그렇지?

225

슬슬 또 한 겹이, …… 난 왜 이게 끝일 거 같지. 잦은 착각처럼.

6 수심獸心이 지독한 사해死骸

나는 수심獸心이 지독한 사해死骸야. 이래도 내가 바다 같아? 눈을 감았다 떠. 다시. 다시. 다시. 다시. …… 전엔 가진 기억에 구멍이 나더니 이젠 시야 안쪽까지 자꾸 검어져. 검붉어져. 벗겨낼 때마다 점점 흐려져. 흐릿해 져.

실망이 컸다면 기대가 컸다는 걸로 이해하면 돼. 감히, 라고 했잖아. 뭐가 그렇게 말이 많아. 신변부터 정리해. 제대로 자리 뜨고 일 찾으려면 바쁘다. 한창 바빠야 할 시기 아니야, 지금. 돈 있는 집 자식들이 휴가 핑계로 해외 바닥에 뿌리는 돈이 얼마인데.

제대로 루트 탈 생각도 없는데 여권 타령은. 밀항선이나 하나 알아 봐. 그럼 평생 이걸로 먹고 산 새끼가 다른 대단한 일이라도 할 줄 알았어? 짐 가볍게 챙기고. 약은 케이스에 넣어. 지정석 있는 것도 아닌데 입석으로 들어찬 새끼들 눈 뒤집히는 일에 휘말리기 싫으면 단도리 잘하고.

필요도, 쓸모도 없는 건 다 태워. 불 안 붙는 것들은 죽여서 잘 묻고.

…… 사람인 척, 머문 자리에 미련 갖지 마. 역하다. 신변 정리부터 하라는 말, 어디로 들었어? 거둘 수 없는 일에 뭐 좀 그만 쏟자. 기대든 애정이든. 알았어, 알았다고. 죽을 때가 됐었나 보지. 내가 실수했으니까 내가 다시 커버해. 내가 안 믿기면 돈 믿고 따라오든가.

있어야 할 곳에 있어야 하는 모양으로 각자 삽시다. 공생, 기생 같은 거 말고. 그릇된 꿈 같은, 낙원 말고. 동화 같은 이야기는 없습니다. 리스트 뽑으면 윗선 차지할 범죄자 새끼는 최악이 맞고, …… 당신들은 내가 평생 업보를 모포처럼 두를 내가 행한 죄악이 맞고.

깨끗하게 지우지 못할 것들은 다른 것들로 덮으면 그만이다. 아래에 있던 것들이 무엇인지는 알 필요도, 이유도 없다. 지우려 했던 이유가 있었겠지. 묻어야 할 필요가 있었겠지. 살이 검어진다. 무수한 상처 위로 넘어진다. 검어진다. 넘어진다. 검어진다. 넘어진다. 세로로 몸을 가로지르는, 끝내는 내 몸을 둘로 나뉘게 할 不俱戴天之讎, 卧薪尝胆. 그리고 그 위에 희미하게 남은 날붙이의 흔적. 남길 것은 그거면 됐다. 그것으로 됐다. 뉘우치지 않을 일들을 곱씹을 필요는 없으니.

묻자. 지우자. 저 땅 아래 썩고 있는 몸뚱이처럼.

나 하나 없다고 무너질 세상도 아니지만,
나 하나 없다고 무결해질 세상은 더더욱 아닌.

자. 무너지지 않을 것처럼 보이는 것들이 생각보다 쉽게 무너지는 시간이야. 나는 여전히 악몽이고, 네 바닥을 자처하잖아. 절대 견고할 수 없는 바닥 위에 세운 것들이 얼마나 가겠어. 그러니까 눈 감아야지. 눈을 감으면 흔들리는 것들도 니가 좋아하는 낭만처럼 느껴질 거야. 내가 가장한 낭만. 누릴 수 있을 때 누려. 악몽을 껌처럼 씹으라고.

가장 달콤한 것만 삼키고, 물이 빠지면 버릴 수 있도록.

그해, 호치민의 여름은 유독 뜨거웠다.

덥다 못해 사람 하나쯤은 질식해 죽게 만들 것만 같은 푹푹 찌는 날씨에는 좀처럼 익숙해질 수가 없었다. 목덜미를 타고 흐르는 땀. 하루에도 몇 번씩 차가운 물을 끼얹는 일은 진작에 관뒀다. 움직이면 또 금방 땀이 흐르고, 몸은 자주 끈적해졌으므로.

따각, 따각. 바짝 깎은 손톱으로 맥주 캔을 따고 있노라면 종종 옆에서 긴 한숨이 들리곤 했다. 따각, 따각, 따각. 한참 캔과 씨름을 하다 보면 이내 손에 들렸던 것이 놈에게 넘어간다. 탁. 경쾌한 소리가 한 번. 다시 맥주가 손에 들린다. 밍밍한, 다 식은 싸구려 맥주.

맥주를 물처럼 들이킨다. 빈 캔을 대충 구겨 아무렇게나 던져두고 새 캔을 쥔다. 다시 또 따각, 따각. 또 긴 한숨. 따각, 따각, 따각……. 일련의 행위들을 반복한다. 느, 매번 그렇게 시끄럽게 굴 거면 첨부터 따 달라고 해라. 틱, 탁. 이번엔 손끝이 닿는다. 날이 덥긴 덥네. 손끝까지 뜨겁고.

생각은 말이 되지 않는다. 그저 생각에 그치는 것이다. 대꾸도 없이 맥주를 몇 캔 비우고 나면 날씨 때문인지, 맥주 때문인지도 모르게 열이 오르고는 했다. 그때쯤 침대로 몸을 옮기면 꼭 발소리 하나가 뒤에 붙었다. 마치 내가 잠들기를 기다렸던 것처럼. 나는 그게, 그걸… 참을 수가 없었다.

그러니까, 이런 익숙한 패턴 같은 것들. 익숙해지게 만드는 것들. 익숙해지면 안 되는 것들. 맥주를 따 주는 소리. 자러 가는 뒤를 따르는 발소리. 돌리고 누운 등 뒤로 부스럭거리는 소리. 그럼에도 절대 익숙해지지 않는, 살갗이 닿는, 매번 뜨거운, …… 참을 수가 없는. 열기.

익숙해지지 말았어야 했는데. 그랬더라면 망설임과 후회를 거듭하는 일은 없었을 텐데. 몇 번이나 입 안쪽을 씹었다. 계절이 바뀌고, 해가 바뀌고, 지내는 나라와 거처가 바뀌고… 옆을 지키던 사람이 바뀌다 못해 사라질 때까지. 후회를 후회하는 일을 반복했다.

손끝에 매달린, 지긋지긋한 호치민의 여름.

내가 지독한 여름을, 무용하게 맞닿던 살갗의 끈적임을, 너를, 내게 매달린 너를, 다시금 나를 안도하게 하던 너를 간과했다. 내 패착이다. 내가 이토록 네게 안주하게 된 것은 분명한 내 패착이다.

네게 기생해 살고 싶어진 것 역시도.

그러니까 나는 매일 지고 있는 거야. 빚을 지고, 무너지고, 물러지고, …….
앞으로도 절대 이길 수 없겠지. 낡고 닳은 것들에 자꾸만 익숙해지니까. 익숙해진 것들이 나를 지탱하게 하니까.

따각, 따각, 탁. 맥주를 따는 소리. 뒤를 따르는 발소리. 뒤척일 때마다 들리는 부스럭거리는 소리. 내 이름을 부르는 소리. 내 모든 신경을 곤두세우게 만드는, 소리. 네 소리. 익숙해지지 않는 것이 있다면 여전히 뜨거운, ······ ······.

그해, 호치민의 뜨거운 여름을 버리고도 나는 또 뜨거운 너를 계절로 삼아 살아가고 살아낸다. 한겨울에도 뜨거운 너를, 온몸이 떨리는 한기에도 나를 녹일 거라 믿어 의심치 않게 만드는 뜨거운 너를.

나는 너를 다시는, 절대로. 버리지 않아.

작대기 하나 없이도 몸에 드는 한기나 손가락 하나 까딱할 수 없는 무기력함이 참 좆같고. 머리가 지끈거리는 건 나를 파먹고 좀먹는 것들이 사실 뇌까지 올라온 게 아닌가 싶어. 오늘은 좀, 죽은 사람 같네. ……

울지 마. 나 하나쯤 없는 세상이 삐걱대진 않을 거다.
아. 이게 널 더 울리려나.

몰랐지. 난 니가 우는 소리가 머리를 아프게 해서 싫은 게 아니라, 우는 니 얼굴이 불쾌하게 축축해서 피했던 게 아니라, …… 꾹 참는 얼굴이, 처연한 흐느낌이 나를 자꾸 사람처럼 굴게 하는 게 낯설어서. 그래서 쉽게 머물지도 가지도 못했단 거. …… 넌 하나만 알고 제일 중요한 둘을 몰라.

나 는   아 직 도 ,   여 전 히 .   매 일   죽 어 가 고   있 어 .

비 겁 하 게   거 듭 하 는   탈 피 .

새벽마다 꽂던 작대기가 줄었다. 줄었다고 생각했다. 생각했을 것이다. 모든 것이 잠든 밤. 옆에 누운 놈의 숨소리가 규칙적으로 잦아들면 몸을 일으켜 화장실로 향한다. 타일 바닥에 주저앉아 몸을 웅크린다. 도드라진 혈관, 무수한 자국. 놈은 잘 보이지 않는 곳엔 시선을 두지 않는다.

그러나 숨긴 것과 사라진 것은 다르다. 방수포에 둘둘 말아 땅에 묻은 시체가 발견되는 것처럼. 멀쩡한 척을 해도 약쟁이는 약쟁이 신세를 면하지 못한다. 약쟁이들의 말로는 대부분 뻔하게 비참하다. 잠깐의 안식, 쾌락을 얻기 위해 가진 것들을 잃어야만 하는, 말로. …….

처음엔 심장이 멋대로 요동을 치고 손이 떨리기 시작하더니 그 뒤로는 자주 시름시름 앓기 시작했다. 가장 기본적인 식욕을 잃고 난 뒤로는 차례로 어떤 것에도 감흥을 가지지 못하게 됐다. 거기서 끝났으면 차라리 다행이었을지도 모른다. 수척해지는 몸, 까맣게 썩어가는 눈가. 드문드문 공백이 생기기 시작한 기억. 가장 큰 문제는, …… 시야가 흐려지기 시작했다는 것이었다. 툭, 쨍그랑, 아. 부딪히는 소리와 낮게 울리는 앓는 소리. 늘어가는 멍. 두익이 자의로 서랍을 먼저 열었던 건 그때쯤이었다. 이, 이, 씨벌 새끼가. 하, 하하, 하, …….

야. 두익아. 오늘이 며칠이지.
… 가서 달력 봐라.

…….

…….

나, …… 눈이 잘 안 보인다.

앞이 뿌옇게 흐려졌다가 잠깐 또 괜찮았다가 이내 감지도 않았는데 까맣게 번져간다. 창밖에서 들리는 새들의 지저귐, 사람들로부터 시작되는 소음…… 분명 아침이 오고 있는데. 손을 들어 눈가를 꾹꾹 문질러 보기도 하고, 비벼 보기도 하고. 주변 살갗이 쓰릴 때까지, 다시, 다시, 다시. …… 아침이, 오고 있는 건 맞는 거지. 내 세상은 점점 어두워지는데.

나의 밤을 울음으로 채우는 저 새는 소쩍새인가.
아니면 내가 부쩍, 울게 됐는가.

깊은 숨소리, 움직일 때마다 옷자락이 스치는 소리, 맨발이 방바닥을 스치는 소리, …… 모든 소리를 따라 익숙하던 것들을 낯설게 다시, 그리고 있다. 내가 기억하는 눈, 코, 입, 표정과 내게 남은 팔의 무게, 맞닿은 체온, 투박한 다정. 감각은 다양한 방법으로 증폭되는 법이라. 보이지 않는 것들을 더듬대며 그리다 보면 익숙하고도 낯선 그들이. 당신들이. 당신이. 그가. …… 무수히 쏟아지는, 나의 환상. 오늘은 꼭 똑바로 그리겠노라고.

언젠간 내가 망가질 것이란 생각이야 늘 했다. 어쩌면 이미 망가졌을지도 모른다는 생각까지. 내가 염두에도 두지 않았던 건, 조금도 의심하지 않았던 건. 손도 쓸 수 없게 망가진 내가 너로부터 버려진다는 것이었다. 망가진 나를 네가, …… 버릴 수도 있다는, 생각이 문득, 들기 시작한 건, …….

사실 난 알면서도 불안으로부터 도망쳤던 거야.
이제 더는 갈 곳이 없이 내몰린 내가 대체 뭘 할 수 있겠어.

대체 뭘.

따각, 따각, 따각, 따각, …. 제발 불 좀 켜 줘. 이 불안을 좀 깨워 줘. 내가 씨발, 어떻게 되고 있는 건지, 어떻게 될 건지. 답을 좀 줘. 스위치를 올려 줘. 내가 이렇게 매달리잖아. 내가 망가지도록 뒀던 거잖아. 매달리길 바랐잖아. 제발, 불 좀 켜 줘.

그것조차못해줘?내가내눈을가리도록내버려뒀으면그건좀해줄수도있는거잖아아니면팔을좀잘라줘발목을좀끊어줘목좀졸라줘이거라도좀더꽂아줘나를어떻게좀해줘잘하는거잖아나좀토막내줘썩도록땅에묻어줘원망할게눈부릅뜨고원망할게왜나같은눈병신은그것마저못하는거야?그래?그래?그래?그래?그래?그래? 따각,

…… 불 좀 켜 달라고 했잖아.
불을 켜 달라고 했잖아.
내 몸에 불 좀 붙여 줘.
대답 좀 해.
어디야.
어디에 있어.
나를 두고 또 어디로 갔어.
어디냐고, 어디.
어디.

분명히 숨소리가 들리는데 어디선가 숨을 죽여 나를 보고 있는 게 느껴지
는데 웃는 소리가 들렸는데 근데 왜 대답을 안 해 왜 왜 왜왜왜왜 왜 왜
왜대답을안하냐고 어디 로갔느냐고 어디에숨 었느냐 고나를 바 닥에구르게
만 들 고선 어 디서내꼴을 보고웃 고 있는 거 야 ……

가장 달콤한 불행 같은 나의 환각에게. 어디서부터 환각이고 망상인지, 이게, 진실이, 네가, 감히, 그러니까, 저게, 끊임없이, ……. …… 나를 천천히 좀먹어 끝내 묻힐 곳도 없이 썩게만 두겠다고 덤비는, 가장 불행한 안식 같은 나의 환각에게.

차마 감히 마주할 수 없어 침잠하던 시선이 검게 번지는 것은 어쩌면 너무나 당연한 일이라고. 그러니 우두커니 혼자 남은 암실에서 나는 내 뒤에 남기고 온 것들을 반복해서 돌려 보고, 돌려 보고, 돌려 보고, …… 끝없이. 나는 감긴 내 눈꺼풀 아래, 내 시야를 덮고 잠든 네 꿈을 꾼다.

내가 환각을 쫓는 것은 그 때문이다.
현실보다 또렷하게 다가오는 환각, 환각, 환각, 환각.

여전한 나의 환상통. 내 눈을 아프게 찌르는,
 …… 아. 이래서 내 시야가 이렇게.

괜찮아. 언제나 내게 거짓 같은 진실은 너로 충분하다.

이게, 거짓이, 내가, 감히, 내가, 그러니까, 이게,
유한하다고 하더라도.
바라건대 꼭 진실로 나를 속여 주길.

두익아, 나 왜 이렇게 허기가 지냐. 오늘 우리가 뭘 먹긴 먹었던가. ……
그리고 이거, 여기. 봐라. 손톱이 죄다 들렸다. 왜 이러지. …… 가까이 좀
와서 봐. 니가 무슨 생각을 하는지 통 읽을 수가 없으니까. 가까이, 좀. 대
답 좀 해……. 야, …… 아직 여기 있지. 아직 거기에, 있지. 있잖아. 있어
야지. 있어야 되잖아. 두익, 두익아. 대답해. 제발. 대답 좀 해, 줘. …….
귀찮게 자꾸 안 찾을 테니까, 있어야 돼. 넌 있어야지. 내가 이렇게 될 줄
알았잖아. 내가 망가지길 바랐잖, …… 아니야. 아니지. 잘못했다. 잘못했
어. 난 혼자 아무것도 못 해, 알잖아. 말라 죽을 거라고. 그것도 알잖아. 아
직도, 여전히 너는 진짜지. 앞으로도 그럴 거지. ……. 말하지 마. 아니야,
아니, 말해. …… 너는 진짜야. 진짜라고 해. 내 옆에 있다고 해. 손 뻗으라
고 해 . 닿을 거 라 고 하 라 고 . 씨 발 , … …   … … .

검정이 내려앉은 밤마다, 자주 우울해? 나는 내내 암실에 갇혀 낮을 잃은 사람이 됐는데도. 그런 나보다 더 자주 무릎에 얼굴을 처박고 우냐고 묻는 거야.

그렇구나. 그럼 밤은 별조차 잠든 우주라고 생각해. 자느라 잠시 빛을 꺼 놓은 별들의 맥동을 파도 삼아 유영한다고 생각하라고. 그럼 조금 덜 외롭고, 조금 덜 우울해져. 아니면 어느 별에 숨어 네 걸음을 기다리고 있을 장미 혹은 여우 따위를 상상하든가.

왜, 그런 내용의 소설도 있잖아. 네 손길에 꽃을 피울 장미, 네 발자국 소리에 귀를 쫑긋거릴 여우……. 사람은 아주 사소한 것들로부터 존재의 의미를 찾고는 하니까. 사소한 것들로 촘촘히 쌓인 너는 아마 쉽게 무너지지 않게 될 거라고.

'네가 오후 4 시에 온다면 난 3 시부터 행복해지기 시작할 거야.'

정 그게 어려우면 멀어 버린 눈으로 바닥을 더듬대며 네 목소리를 기다리는 나를 떠올려. 내 비참함이 네게 위로가 된다면, 까짓거 그거 좀 판다고 내 인생 안 무너진다. 설령 내가 무너질 거 같거든 니가 다시 세워 주든가. 네 눈엔 내가 모르는 우주가, 별이. 아주 오래 박혀 있었으면 좋겠어. 우울함에 눈 감지 마. 별은 소멸하는 거지, 흐르는 게 아니니까.

바란다면 나는 기꺼이 무너질 준비가 됐다고. 내게 떨어질 면죄부 따위의
값을 셈하지 않고. 감히 바라건대, 네가 내 지독할 말로를 바란다면 나는
기꺼이. 끝없이 실망하고 추락하며, 무너지겠다고. 이것만큼은 거짓 없는
약속이야. 자, 이제 바라는 걸 얘기해 봐.

내 추락은 아직이야?

Blue devil, 나의 혓바닥 안쪽에 뿌리를 내리게. …… 소리를 색으로 읽고, 색을 맛으로 느낄 거야. 성 안토니우스의 불. 나를 태울 거야. 뜨겁게 타고 차게 식어 소멸할 거야. 내가 그럼 뭐, 괜찮은 놈일 줄 알았어?

코가 헐면 혈관에 꽂고, 혈관이 터지면 입에 넣고…… 악과 독을 찾는 일에 수단과 방법을 가릴 거 같았더라면 내가 악인이 되지는 않았겠지. 안 그래? 응? 10 분, 30 분, 47 분, 1 시간 3 분, 1 시간 39 분, 1 시간 73 분, 82 분, 1 시간 128 분,

…… 아아. 아직 혀는 잘리지를 않아서.

경험의 축적,내게 쏟아지는 천장과 벽과 추적추적추적 쏟아지는 잔해가 자네가 지네가 바글바들바글바들바글바들바글바들 바득바득바득바득빠득빠득빠드득득득득득 입을, …… 맞출까? 봐아, 봐. 혓바닥 위에 이렇게, 이, 이렇게, 스마일리…… 너도 하나, 주까, 응? 오늘을오늘으은나를좀뒤좀두도록해시야는넓어지는데세상은좁아지니깐어어응그래 그으으래애거기에둬내가뭐죽기야하까죽이기는해도그지그지눈앞이팡하고평하 고색이빛으로터지다입에쑥들어오면우물우물씹어무색무취무미가분명한것을달 게아주달게우물우물아나는여기에두어진버려진덩어리야아그지이그지웅

251

언젠가의 유서를 대신하여 쓴다 너만큼은 나를 기억해야지 너만큼은

Pin 폭력적인 낭만

어떤 불안과 불행이 당신의 과거를 덮고 파도처럼 넘실대고 있길래 그토록
젖어 있나

서로에게 서로가 없어도 괜찮기를 바란다는 오만에 잡아먹히는 밤이 잦다 같이 떨어져 버릴 걸 그랬지 서로의 곁이 아니더라도 가까운 곳에서 깨진 머리와 부서진 몸을 이끌고 기어가는 일이 낭만이라고 생각했던 치기를 몸 서리치게 후회한다

내 죄악의 자리가 여전히 네 곁이라는 이유로

그러니 네가 나의 불행이라면 나는 너의 불운이고 싶어
기억하고 싶지 않을 모든 순간에 내 이름을 달고
문득 뒷덜미가 서늘해질 불안에 내 그림자를 드리우고 싶어
그 안에 허덕이며 가끔 내뱉는 숨으로 연명하는 너의 온갖 불행도

나였으면 싶어

추락해 버릴까
고독해 버릴까

걱정 마, 네 곁은 아닐 거야

어쩌면 나는 내 손으로 망친 나에 대한 책임을 네게 묻고 싶은 걸지도 모르겠다 그래 내 지겨운 불면마저 네 무릎 위에 눕히고 나만큼은 도망치고 싶어서 너의 태연자약한 얼굴마저 망친 유일로 뻔뻔하게 살아 남으려고 쓰지 못한 단어와 말이 되지 못한 문장을 팔아 네 유일을 사려고 네 유일을 살려고 내가 이렇게 망가진 것은 사실 내게 네가 있었다는 것 네가 내게 있었다는 것 그 모든 것의 증명이라고 그러나 니를 망가지게 만든 건 너라고 너라고 너여야만 한다고 모든 책임을 네게 묻고 싶은 걸지도 모르겠다 나는 이렇게나 비겁하고 비열해서

그러니 내가 쓴 수십 장의 유서에는 온통 네 이름이 가득해지고

굳은 우리를 내동댕이 치고 깨트리고 우리는 기어이 잘린 손끝과 혀끝으로
사랑 같은 거짓말을 말하거나 거짓말 같은 사랑을 말하고 있는데도 그게
기만인 줄을 모르는 거야 모른 척하면 모르는 게 되는 줄 아는 거야

수없이 많은 실패를 겪고도 또 사랑에 빠지는 이 비극은 도저히 이 생에서
끝나지 않을 것만 같아서 사람을 사랑으로 고쳐 쓰겠노라는 네 낭만엔 좀
처럼 값이 붙지를 않아서

내가 차마 값을 줄 수 없어서
그럼에도 어떻게든 살아갈 구실을 만드는 내가 너무 치졸해서
그럼에도 나는 여전히 너의 낭만이고 싶어서

그러니 죽겠다는 말은 너무 자주 써먹었다
네 이름으로 빼곡히 채운 유서가 더 안 팔리는 것도
어쩌면 너무 당연한 일이다

아직 내가 사지 멀쩡히 잘 살아있으니까
죽지를 못하고 죽지를 못하고 죽지를 못하고 죽이지를 못하고

낯선 천장 아래 간헐적으로 깜박이는 전등 우리는 필라멘트의 수명이 다했
다는 걸 알면서도 자리에서 일어나지 않는다

깜빡, 별 하나
깜빡, 별 둘
깜빡, 별 셋
깜빡, 또 깜, 빡

술자리 안주거리도 안 되는 시시한 낭만 따위를 씹는다

서로의 얼굴을 바라보지 않는 것은 그 낭만에 대한 예의인 척하기로 했다
별이 뜨지 않는 밤이 올 때까지 우리는 나란히 누워 이대로 죽어 버리거나
죽여 버리는 일에 대해 떠들었다 꼭 관짝에 누운 사람들처럼

난 여전히 네가 가진 가장 아픈 고백일까

가끔 너의 모든 서글픔에 불을 핑계가 나였으면 좋겠다는 상상을 해. 아, 황홀한 절망. 우리는 무너지는 법을 알지. 날갯죽지가 꺾이고 비틀거리면서도 서로의 품에 대가리부터 파고들며 위안을 삼는 법을 말이야.

새벽이면 서로의 몫까지 아파하느라 차마 숨죽여 울지도 못하던 우리 지나치도록 걱정이 앞선 우리 당장 뜬 달빛보다 내일의 햇빛을 겁내던 우리 그런 우리를 잊지 마 아니 잊어 아니 잊지 마 아니 잊어 아니 잊어야 한다는 걸 잊지 마 아니 아니 아니 그냥 나를 잃어

너도 한 번은 날 잃어 봐야지 내가 없는 하루 끝에 절망을 덮고 누워 봐야지 허무를 혀처럼 씹어 봐야지 너도 꼭 한 번은 나로 인해 아파 봐야지

내가 네 불면의 이유가 될 수는 없을까
종교나 구원 같은 거창한 것들보다 좀 더 사소하고 섬세한
사랑이나 애정 같은 사치스러운 것들보다 좀 더 값싸고 흔한
내가 네 입 안에서 짓물리고 삼켜지는 단어들의 뿌리가 될 수는 없을까

네 절망의 뿌리가 네게 박힌 것이면 좋겠는데
덧없이 속절없이 하염없이 무너지는 네 마음이
버려지는 곳이 내 발치라면 좋겠는데
내게 내동댕이쳐진 가여운 네 눈물이 흐르는 곳이
검은 나의 입 속이면 좋겠는데

그럼에도 한없이 가엽고 애처로운 것은 또 나였으면 좋겠는데

이토록 하얀 밤
낭만으로 너를 속이는 내가 얼마나 곪아있는지 모르지
내 어린 기만과 영악을 영영 끌어안을 사람이
꼭 너이기를 바라고 있다는 것도 너는 모르지
너는 나를 열망이라 부르지만
사실 내가 바라는 건 멸망이라는 것도 모르지

나야 네 모든 불행에 발을 들일 사람

이 지긋지긋한 불면 이 지긋지긋한 두통 나의 가장 깊고 달콤한 잠은 악몽 으로부터 오는 것 쉼표와 마침표 없는 문장만큼 불쾌하고 두서없는 것 천 박을 필두로 고요와 시간을 몸과 마음 대신 팔아도 끝끝내 값을 치르지 못 할 고작 몇 시간의 안식 비어있는 옆자리 나는 그러니까 나는

긴 착각을 내게 선물해 줘 사랑보다 나은 사람 사람보다 나은 약 몇 알을

그럼 나는 손금이 끊어지는 날 콱 죽어 버릴게
내가 나를 난도질하는 걸 견딜 수가 없으니까

감정과 깜냥 낭비해 가며 하루 벌어 하루 먹고 사는 나만큼 치열하게 사는 사람도 없을 거야 그렇지 넌 멍청해서 아무것도 모르겠지만 또 그냥 실실 웃고 말겠지만 그러다 나한테 뺨 한 대 처맞아도 좋다고 내 손목이나 잡겠지만 그 무지함을 사랑하고 있다는 것도 넌 끝내 모르고 날 니 최악의 구원이라 부르겠지만 그래도 나는 너를 사랑하겠지만

그래 사랑해 더할 나위 없이

사 랑 할 수 록   불 행 해 지 는   병 은   이 제   흔 하 다

그러니 우리 같이 죽었으면 좋겠다는 유서에는 마침표가 없고

파도는 죽으러 바다에 간다

발   행 | 2022년 09월 08일
저   자 | fuxxdetriment
펴낸이 | 한건희
펴낸곳 | 주식회사 부크크
출판사등록 | 2014.07.15.(제2014-16호)
주   소 | 서울특별시 금천구 가산디지털1로 119 SK트윈타워 A동 305호
전   화 | 1670-8316
이메일 | info@bookk.co.kr

ISBN | 979-11-372-9457-8

www.bookk.co.kr
ⓒ fuxxdetriment 2022